BIZARRES

Bertrand Vac

BIZARRES

Collection Roman

Guérin littérature

p. 53

© Guérin littérature, 1988
166, rue Sainte-Catherine est
Montréal, Québec
H2X 1K9

Dépôt légal, 3e trimestre 1988
ISBN-2-7601-2249-2

Bibliothèque nationale du Québec
Bibliothéque nationale du Canada

IMPRIMÉ AU CANADA

Illustration de la page couverture:
Bertrand Vac

Bizarre

Parti pour l'Angleterre pratiquer son accent d'Oxford, George Crompton en revint avec deux épagneuls. Oh! pas n'importe lesquels, deux cockers qu'il avait aperçus dans une exposition et que les juges venaient de primer. Un couple! Des merveilles!

Quand elle les vit entrer dans la maison, sa femme manifesta moins d'enthousiasme. Elle aurait préféré un bijou pour aller avec un petit ensemble qu'elle venait de... Crompton l'avait oublié, ce qui n'améliora pas beaucoup leurs relations déjà tendues. Ces bêtes furent pourtant sa dernière joie, car il mourut quelques mois plus tard, laissant sa fortune à sa femme, comme il se doit; sa femme à qui en voudrait, et les chiens à Bourgoin.

Il avait hésité entre Omer Lafortune et Bourgoin, deux vieux amis, mais opté pour ce dernier qui avait plus de temps pour s'en occuper.

Partagé entre le chagrin de perdre un compagnon de chasse et le plaisir de recevoir deux épagneuls de cette qualité, Bourgoin se laissa emporter par le second sentiment.

Aussi, lui qui ne se déplaçait plus depuis des années qu'en automobile, il réapprit la marche. Fier de ses chiens comme de son pénis, il fit le tour de ses connaissances en tenant les bêtes en laisse, racontant les circonstances qui l'en avaient rendu propriétaire et laissant entendre à qui n'y aurait pas pensé qu'on ne lègue pas ses chiens à n'importe qui. Pour sa plus grande joie, des femmes l'arrêtaient parfois sur les trottoirs pour l'en féliciter et les admirer, prétexte pour retenir un moment leur propriétaire qui n'était pas mal de sa personne. Il n'était pas le seul à le croire.

Quand arriva le moment de la chasse au canard, il triomphait. Mais quand vint celle du chevreuil et qu'il rencontra son ami McClean, il marcha d'un pas moins allègre, car celui-ci avait un chien courant qui rabattait les chevreuils comme pas un, alors que les épagneuls n'étaient plus d'aucun secours.

Bourgoin avait été souvent tenté de s'en acheter un, lui aussi, et songea bien des fois au moyen qu'il prendrait pour le faire entrer dans la maison. Un manteau de vison? Sa femme en avait déjà deux. Un collier de perles? Elle en donnait. Un tapis persan? Elle ne les aimait pas. Alors... Une voiture? Elle ne la méritait pas.

Pourtant la question se posa différemment à la mort d'un des épagneuls, le mâle. Frappée par un coup bas du créateur, la pauvre bête était morte entre les bras du vétérinaire, pendant que Bourgoin se cachait dans un coin pour pleurer. À peine remis de cette épreuve, Bourgoin proposa timidement à sa femme de le remplacer par un «hound». Mais, là, la résistance fut farouche et sans discussion possible. Non! et non! Bourgoin pouvait en faire son sacrifice. Il n'entrerait pas d'autre chien dans la maison.

— Mais!...

— Il n'y a pas de mais. C'est le chien ou moi.

Bourgoin aimait trop bien manger pour risquer de la perdre.

Au fond, elle avait un peu raison. Bourgoin était le premier à l'admettre. Pas devant elle, bien sûr. Mais devant McLean, par exemple. Comme il le lui disait un jour: nos femmes n'aiment pas nos chiens, mais qui en a soin? Combien de fois n'ai-je pas demandé à la mienne de nourrir ou de promener mon épagneul? C'est douze mois par année et tout ça pour une quinzaine de jours de chasse que je fais, moi. Pas elle.

— Encore, ton chien...

— Ma chienne.

— Si tu veux. Encore, ta chienne est moins forte que le mien. Imagine-toi ce qu'il faut de forces pour retenir cette bête-là, quand il lui plait d'aller quelque part. Ma femme y mettrait certainement meilleure volonté, si j'étais plus aimable pour elle. Mais j'ai bien assez de l'endurer sans être aimable par-dessus le marché. Malgré tout, elle s'en occupe et je chasse le chevreuil. J'ai de la chance. Nous avons de la chance. Combien de gars ne peuvent même pas en avoir un!

Le printemps arrivé, la routine ramena Bourgoin au golf, mais sans joie.

— Veux-tu bien me dire ce que tu as? lui demanda McLean, un jour. Tu fais la tête d'un gars qui a perdu quelque chose. Serais-tu malade?

— Non, ça va. Mais pas vite. Tu sais que j'ai perdu un des cockers de Crompton?

— Oui, j'ai appris ça. Tu t'en doutes bien. Mais il te reste l'autre et tu n'as pas besoin de deux chiens pour le canard. Comme moi pour le chevreuil d'ailleurs. Écoute! cet automne, il faut que nous chassions ensemble. Tu m'invites au canard; je t'invite au chevreuil.

— Tu ferais ça? dit Bourgoin, déjà de meilleure humeur. En attendant, profitons de l'été!

Tout l'été, donc, ils additionnèrent leurs scores, trichèrent, hâblèrent, se désolèrent, se donnèrent des conseils pour le drive et le putting, s'empoisonnèrent mutuellement l'existence et se retrouvèrent enfin un matin glacial d'automne dans une cache où ils n'avaient pas le droit de parler ou bouger, même pas de claquer des dents de peur d'alerter le canard. Une gorgée d'alcool ou de café? La senteur! ...

Le parfait matin du masochiste où le soleil ne parvenait pas à percer la brume qui les pénétrait jusqu'aux os et leur faisait maudire l'atavisme qu'ils avaient de la chasse. Pour ajouter à leur frustration, de temps en temps, un coup de feu parti d'ailleurs et qui avait dû frapper sa cible, alors que leurs fusils restaient inutilement chargés. Un de ces matins sinistres où le cocker les regardait en les implorant: «Mais, donnez-moi donc quelque chose à faire!»

Bourgoin savait bien ce que le chien voulait. McLean aussi. Mais on ne tire pas dans le brouillard comme ça, sans avoir vu ce qu'on veut descendre.

Enfin, la brume devint moins épaisse, un canard passa, reçut la décharge, tomba. Depuis le temps que le chien attendait! Et la chasse se poursuivit. Trop peu longtemps, hélas, car les canards circulent à leur heure, même par temps brumeux.

À la taverne où ils étaient allés se réchauffer, manger et répéter ce qu'ils s'étaient raconté cent fois, Bourgoin n'oublia pas de préciser que son chien lui ramenait même les canards blessés qui se noyaient en se cramponnant à la tige des roseaux.

— Tu n'as pas encore vu le mien au chevreuil. Attends un peu! Dès l'ouverture de la vraie chasse...

Et c'étaient des éloges, et des éloges qui auraient fait rougir des humains de confusion, mais ne dérangeaient nullement le calme des bêtes.

De déclarations en confidences sur les qualités respectives de leur chien, ils en vinrent à former un projet capable de faire frémir un puriste de la race canine. Comme on se doit de donner à chacun son dû, il faut dire que c'est McLean qui énonça le projet.

— Sais-tu une chose, Bourgoin? fit-il un peu égrillard.

— Oui, non, quoi?

— Si nous n'avions qu'un chien pour nos chasses, ça serait plus pratique!

— Hélas, répondit sagement Bourgoin, chaque chien a ses qualités bien à lui, comme nos femmes ont leurs défauts. On ne peut quand même pas leur demander d'en avoir davantage.

— Si nous accouplions nos chiens, la tienne et le mien, poursuivit McLean, sourd à toutes les objections que Bourgoin pourrait lui opposer, si nous parvenions à produire une race qui soit à la fois aux chevreuils et aux canards?

— Hei! hei! arrête un peu! Ça ne se serait jamais vu.

— C'est comme ça que les races se créent. Essayons!

Bien des petites choses les en empêchèrent pendant quelque temps, puis un jour, l'idée ayant mûri, on amena les deux bêtes chez Marcel Gouger à Saint-Michel-des-Saints. Marcel était un personnage légendaire qui habitait la dernière ferme du dernier rang de la dernière concession de la paroisse. Grand, efflanqué, sale, spirituel, bon vivant, entouré des seize enfants que lui avait donnés sa femme, il ne voyait que les bons côtés de la vie.

Tous les chasseurs le connaissaient. Les gardes-chasses aussi, à cause de son champ de sarrasin. Ce champ n'était clôturé que sur trois côtés. Oubli? Insouciance? Seul Marcel Gouger pouvait le dire. Une chose était certaine et dont il ne se vantait pas, c'est que le matin, à l'heure des vaches, il trouvait souvent des maraudeurs dans son champ. Des chevreuils qui raffolent du sarrasin profitaient de l'obscurité pour venir en manger. Or, puisqu'il est dit dans l'article 127 du code civil qu'on a le droit d'abattre des animaux qui endommagent la propriété privée, quelques coups de fusil bien placés punissaient les fauteurs. On les mangeait. Comme la part de chacun n'était pas grosse, il en fallait souvent. Aussi, le champ de sarrasin était-il là pour attirer le gibier.

Marcel Gouger connaissait les deux chiens qu'on lui amenait pour avoir chassé avec les deux. Il était connaisseur et, parce que connaisseur, il aimait les beaux spécimens, le beau gibier et une bonne bouteille...

— Si j'étais vous, monsieur Bourgoin, déclara-t-il en les voyant, j'enfermerais ma chienne pour quelques jours. Le «hound» est un peu trop galant pour mes goûts. Vous ne voudriez pas qu'un accident arrive.

— Et puis après?...

— Quoi? s'écria Marcel horrifié. Si vous faites ça, tous les deux, je vous préviens que vous allez brailler. On prend pas ces risques-là avec deux bêtes comme celles-là.

— On est prêts à brailler, Marcel. Mais on voudrait d'abord essayer.

— Essayer quoi? d'élever des bâtards? Vous manquerez pas votre coup. C'est connu. Ramenez-moi ces enfants-là chacun chez eux! vite! avant que le pire arrive!

McLean et Bourgoin se rendirent compte que Gouger était trop sobre. Pour lui faire accepter un pacte aussi contraire à ses principes, il fallait lui servir à boire, et ils le firent. Il y avait un signe infaillible pour connaître son état d'ébriété. Plus il buvait, plus son nez courbait – curieux phénomène! Arrivait un moment où, à force de courber, une espèce de déclic lui accrochait le nez à la mémoire. C'était le moment des marchés.

Les chiens ne s'étaient pas lâchés d'une semelle, se sentant, se flairant, s'appréciant, se taquinant et s'aguichant. Ce qui avait énervé Marcel au plus haut point le laissait maintenant indifférent. Il avait répété son conseil d'une voix de plus en plus lente et de moins en moins convaincue, puis sans le «monsieur» qui d'habitude précédait le nom de son interlocuteur. Cette fois, Bourgoin lui trouva le nez assez tordu et lui répondit:

— C'est précisément dans cette intention-là que nous sommes venus te voir. Nous voudrions que tu isoles l'épagneul et le «hound».

— Si vous voulez, dit Marcel. Ce n'est pas difficile. Ne vous inquiétez pas! Le «hound» m'a l'air de connaître la manière.

— Et si le résultat nous donnait des chiens qui iraient te chercher tes canards dans les joncs, là où ils sont tombés, se sècheraient en trois secousses et partiraient ventre à terre te rabattre un chevreuil, qu'est-ce que tu dirais de ça? demanda Bourgoin.

— Ça ne se serait jamais vu.

— Et si personne n'essaye, ça ne se verra jamais. Pourtant, ce serait bien utile.

— Ah! pour ça, oui! répondit Marcel en se grattant le crâne à travers sa casquette.

— Alors, qu'est-ce qu'on attend pour essayer? Nous avons une bête à canard, et une autre à chevreuil. À toi, tout ce qu'on te demande, c'est de garder ces deux chiens-là ensemble, tout seuls, et de voir à ce que personne ne vienne les déranger. Tu comprends? Nous reviendrons quand tu nous téléphoneras que ...

— ... que les fils sont chargés.

Marcel approuvait de la tête, mais il lui restait un semblant d'hésitation qui disparut dans le verre qui suivit.

On enferma donc les deux chiens dans l'enclos où Marcel avait élevé ses canards domestiques autrefois, et pendant que les bêtes continuaient de se suivre pas à pas, McLean et Bourgoin revinrent à la ville.

Trois jours après, Marcel appelait:

— Si vous ne venez pas chercher cette chienne-là, annonça-t-il, elle va déborder.

On comprit et on reprit la route de Saint-Michel. L'épagneule sortit de l'enclos, l'air plutôt fatigué, mais satisfaite.

Au moment de repartir, Bourgoin s'arrêta contre la voiture.

— Tu ne me garderais pas ma chienne? demanda-t-il à Marcel. Tu comprends, c'est gênant. Enceinte, en ville. C'est délicat.

— Vous avez peur de votre femme, monsieur Bourgoin?

— Bah! oui. Tu comprends. Si tu voulais, je te dédommagerais. Déjà ma femme endure mal ma chienne toute seule. Puis, la bête serait mieux au grand air, avec de l'exercice.

— Oui, oui, monsieur Bourgoin. Je comprends ça. J'ai tout compris depuis longtemps. Combien?

On laissa donc la chienne à la campagne.

Elle y fit merveille, engraissa, se développa. Le poil était luisant. C'est du moins le genre de nouvelles que Marcel donnait au téléphone, quand Bourgoin en demandait. Elle s'essoufflait de plus en plus facilement, mais paraissait contente, si contente que ça faisait plaisir à voir. Brave bête!

Quelques semaines plus tard, elle mettait bas onze chiots qui, l'à l'exception d'un seul, moururent dans les quelques heures qui suivirent.

Ces nouvelles rendirent les gens de Montréal perplexes. D'abord, il fallait aller voir ce spécimen. La curiosité la plus légitime l'exigeait. Et puis, s'il ne restait qu'un chiot, il fallait s'en occuper sérieusement, poursuivre cette expérience fascinante jusqu'au bout, savoir ce qu'elle allait donner: un chien tout usage? un autre spécialiste du chevreuil? ou du canard?

Ce qu'ils virent était touchant: la mère, le petit ... que c'était joli!

Comme on n'allait pas séparer l'un de l'autre maintenant, ils restèrent ensemble pendant que McLean et Bourgoin rentraient chez eux en se demandant qui prendrait le chiot chez lui. McLean opina que normalement la mère garde le petit. Pensée généreuse? Là-dessus, Bourgoin avait ses réticences, car il y avait un grave problème.

En effet, en ville, les femmes s'étaient concertées dès le premier mouvement que les maris avaient fait pour les préparer à cette nouvelle acquisition.

Madame Bourgoin avait déclaré qu'elle avait accepté le couple de Crompton, parce qu'il venait de Crompton d'abord, qu'il valait une fortune, qu'il était de race et que ... et que ça suffisait. Elle n'avait pas l'intention de transformer sa maison en chenil. Quant à madame McLean, elle fut bon prince: «Si tu veux te défaire de ton «hound» , je veux bien que nous gardions le petit» avait-elle dit. Pas bête, elle savait bien que son mari ne se débarrasserait pas de son chien. Et ils – les deux maris – tournaient et retournaient le problème sous toutes ses faces sans en sortir.

Quant à Marcel, il était bien prêt à garder le petit. Un chien de plus ou de moins chez lui ne signifiait pas grand-chose, surtout qu'il toucherait une pension pour celui-ci.

De plus, la perspective d'avoir un chien pour le chevreuil l'intéressait plus qu'il ne le laissait voir. Le mois précédent, le garde-chasse était encore venu lui rendre visite, une visite d'affaires, celle-là, sans bouteille. Aussi, l'entrevue avait-elle été courte.

— Si j'entends encore un coup de fusil venant de chez toi, Gouger, tu me comprends? vrai comme tu es là, je te fous dedans.

Marcel avait eu beau protester, l'autre n'avait rien entendu. Il y avait assez longtemps que le champ de sarrasin servait d'appât.

— Et l'article 127 du code?

— Tu verras ce que le juge en pense, mon finaud, avait rétorqué le garde-chasse.

Cette fois, Marcel était sûr qu'on ne riait plus en haut lieu. Aussi, se tenait-il tranquille, malgré qu'on lui mangeât sa récolte sous le nez et malgré que l'automne venu, il ne pourrait même plus labourer son champ avec sa jument et qu'il lui faudrait la rentrer à l'écurie tous les soirs, de peur des orignaux en rut.

La solution qu'il cherchait, c'était peut-être le chien. Marcel souriait d'anticipation. Non mais! Pourrait-il garder son sérieux en apercevant le garde-chasse à leur prochaine rencontre, ou peut-être la suivante, car il fallait que le chien grandisse tout de même. Ce lui serait presque impossible de s'empêcher de rire. Il n'y aurait pas eu un coup de fusil, pas un bruit! puisque le garde n'en voulait pas. Non mais! la tête du garde-chasse qui n'aurait rien entendu, et pour cause, qui verrait les veaux courir dans le pré et les agneaux derrière leur mère. Comme avant, comme toujours. Tout paraîtrait normal. Il serait content de lui, parce qu'il ne saurait pas, qu'il croirait avoir imposé son autorité! Gros idiot! «Je me demande un peu ce que ça peut lui faire, à lui, les chevreuils de la couronne. Que j'en mange ou non, ça ne lui enlève rien. Non! Il n'est là que pour embêter les gens, faire des difficultés, chercher la bête noire. Il se croit bien intelligent avec sa médaille sur le ventre et ses lois derrière lui. S'il savait ce qui l'attend... À quoi sert l'autorité, quand on n'a pas assez de tête pour la faire respecter?» Et Marcel ronchonnait et Marcel gueulait et Marcel rigolait tout bas en attendant que les chevreuils reviennent et qu'on lui confie le chien.

Mais ni McLean, ni Bourgoin ne voulaient entendre parler de le laisser chez lui. Déjà, la mise bas leur avait coûté dix chiots qui auraient sûrement survécu si un vétérinaire y avait assisté. Ils ne pouvaient donc pas risquer de laisser l'unique survivant loin des secours de la science, advenant une maladie.

Pendant ce temps, le chien grandissait et, le moment étant venu de le sevrer, il était urgent de prendre une décision quant à son avenir.

— Et je veux ma chienne, moi! se récria Bourgoin, revendicateur.

— Ne va pas trop loin, répondit McLean, plus calme. Emporté comme je te connais, tu es capable de foutre ton ménage en l'air pour une chienne et son petit.

Bourgoin ne répondit d'abord rien à ce qu'avançait McLean. C'était tellement près de la vérité. Puis il lui donna brusquement raison mais ajouta.

— Femme ou pas femme, je ramène ma chienne en ville...

— Ça va tourner mal...

— Et si ma femme se laissait fléchir?... Un chiot, c'est gentil.

— Tu rêves.

Prêts au pire, ils partirent, chacun dans sa voiture, vers Saint-Michel-des-Saints, enfermés dans leur détermination, aussi butés que leurs femmes, il faut l'admettre.

— Vous avez bien l'air drôle, vous deux, fit une voix près d'eux, quand ils descendirent dans la cour de Marcel.

— Lafortune!

— Omer!

— Lafortune, Omer, en personne. Me voici. Vous avez bien l'air dégonflés. Êtes-vous malades? Y a-t-il quelqu'un de mort? Ton chien, McLean?

— Au contraire. On en a un de trop.

— Où ça? demanda Lafortune?

On lui expliqua la situation en détail. La chienne était là qui allaitait son chiot pour la dernière fois. C'était charmant.

— Je vais m'en occuper, moi, de ce chien-là, déclara-t-il. Si vous voulez...

— Tu ferais ça, Omer? s'écria Bourgoin, fou de joie. J'en étais arrivé à affronter le divorce pour le garder.

— Et ta femme, Omer? demanda McLean, presque honteux de gâcher le plaisir de son ami.

— Ma femme? Elle est bien. Allez la saluer, elle est dans l'auto.

Les deux hommes se regardèrent, certains que Lafortune crânait.

— Eh! Mirella! appela-t-il. Viens voir les chiens!

Mirella descendit de voiture et faillit oublier de saluer les hommes pour regarder les bêtes.

— Ils nous offrent le petit, dit Omer. Ce n'est pas une farce, les gars? Vous me le donnez?

— Oui. Oui, approuvèrent-ils en choeur. Prends-le! Garde-le! Il est à toi.

— Qu'est-ce que ça mange? demanda Mirella.

— Du lait d'abord, puis de la viande, répondit Marcel. Vous n'avez jamais gardé de chien?

— Si, mais il y a longtemps.

— Et vous voulez vraiment celui-ci?

— Puisque Omer le veut.
— Comme ça? Tout ce qu'Omer veut?
— Pourquoi pas? C'est mon mari. Quand il a voulu que nous ayons un voilier, nous l'avons bâti, tous les deux. J'ai appris le métier de marin. Maintenant, j'aime mieux le bateau que lui ne l'aime. S'il veut un chien de chasse, j'aurai soin de son chien. C'est bien le moins que je puisse faire pour lui. Il a un nom, ce chien-là?

Personne n'avait songé à lui donner de nom. Il avait toujours été avec sa mère...

— Bon! Qu'est-ce que vous diriez de «Bizarre»? proposa-t-elle. Il me semble que ça lui conviendrait.

Omer était d'accord. On alla chercher des verres, on but à la santé de «Bizarre» et les Lafortune l'emportèrent.

Cette nuit-là, on le laissa d'abord dans la cuisine. Mais, comme il venait d'être sevré, il se lamentait avec une telle conviction qu'à la fin, on dut le descendre à la cave à cause des voisins. Mirella passa donc la nuit à faire la navette entre sa chambre, celles des filles et la cuisine ou la cave. Pourtant, elle gardait sa bonne humeur, ne songeant pas un moment que, sans ce goût subit de son mari pour la chasse, elle dormirait sur ses deux oreilles. Les jours suivants, la situation se fit moins bruyante, mais plus alarmante, car le chien profitait. Les pattes!... Les pattes élargirent d'abord! Mirella n'en revenait pas. Certains matins, elle hésitait à le regarder tant il grandissait et grossissait. À quatre mois, c'étaient des cabrioles, des sauts, des jappements. Il lui aurait fallu toute une caserne à lui tout seul et le logement des Lafortune n'avait que les proportions d'un logement de ville. Pourtant, l'idée ne venait pas à Mirella que Bizarre était encombrant. Puisque son mari voulait un chien... La chose la plus étonnante qui fût, c'était de voir cet épagneul prendre ces proportions, ce poil soyeux qui ne se décidait pas à friser malgré l'envie qu'il en avait, mi-ras, mi-long, en larges taches jaunes et blanches. Le thorax élargissait, les oreilles n'arrêtaient pas d'allonger - il marchait dessus - et leur poids lui tirait des rides qui lui donnaient un air de tristesse profonde. Ce n'était qu'un masque, car sa vie était un pique-nique. Il roulait des épaules comme un adolescent en mal de raclée. Sa bonne humeur, sa fougue lui avaient d'abord attiré tous les chiens du quartier, mais sa taille avait fini par leur faire prendre leurs distances. Il tenta de faire du charme. Rien n'y fit.

Une nuit qu'on l'avait laissé dans la cuisine, Mirella ne retrouva plus que la moitié du linoléum. Elle eut beau chercher, l'autre partie avait bel et bien disparu. Couché sous la table, aussi sage qu'un enfant de choeur entre deux burettes, Bizarre se léchait les babines.

— Ce n'est pas possible que...

C'était plus que possible, c'était évident. Ce linoléum, il fallait qu'il fût quelque part. Et puisqu'il n'était nulle part... c'est donc que le chien l'avait mangé.

— Mais, il va mourir, c'est certain, répétait Mirella, au comble de l'inquiétude.

Impassible, le chien n'avait pas l'air des plus heureux, mais pas tellement malheureux non plus.

— C'est donc qu'il avait faim, conclut-elle prosaïquement.

— Nous devrions lui donner à manger le soir, lui suggéra son mari. À son âge, il a besoin d'une plus grosse portion.

— Ce n'est pourtant pas dans le linoléum qu'il va trouver des vitamines.

— Qui sait? Il avait peut-être besoin d'un de ses composants, expliqua Omer.

On téléphona au vétérinaire qui avoua n'y rien comprendre.

— Il serait intéressant de consulter un psychiatre, suggéra-t-il.

— Un psychiatre pour...?

— Oui. Pour chiens. J'en connais un. J'ai son numéro de téléphone.

On l'appela. Il fixa l'heure du rendez-vous, trois semaines plus tard à 5 h 34 du matin.

Omer devant aller travailler tôt ce jour-là, Mirella se rendit seule avec «Bizarre» chez l'homme de science – un peu en avance. Oh! pas tellement, le temps de payer d'abord la consultation, puis de répondre à un interrogatoire détaillé sur le lignage de la bête, son alimentation, ses distractions préférées, sa digestion, et autres détails encore plus intimes. Enfin, leur tour arrivé, ils entrèrent chez le spécialiste.

Le chien alla s'allonger sur un divan. Mirella prit un fauteuil. Tout était fastueux: meubles, tapis, fleurs, luminaire, etc.

Le maître prit connaissance des données que la secrétaire avait recueillies pendant que Mirella se crut obligée de toussoter pour meubler le silence. Puis, autre interrogatoire plus poussé. Aucun détail ne fut oublié cette fois. Pendant la séance, le psychiatre se passait nerveusement une main dans les cheveux, jusqu'à ce qu'ils fussent en broussaille, puis il se mit l'index droit sur la tempe et réfléchit un long moment. Après quoi, il alla vers une bibliothèque où il consulta des encyclopédies – trois – au mot «linoléum». Enfin il referma le tout et, de retour à son bureau, déclara que Bizarre souffrait d'une déviation intrinsèque d'un comportement ancestral attribuable à des viols psychologiques intra-utérins, à une petite enfance marquée par des luttes de classes et à une réalité quotidienne incompatible avec des aspirations intimes. N.B.: négligences graves du psychisme de la bête dans le bas âge et sérieux écarts d'alimentation ultérieurement. Pronostic: réservé – à moins que...

On réveilla le chien et, au moment de l'emmener, Mirella, un peu nerveuse tout de même, dit au docteur:

— Vous ne m'écririez pas ce diagnostic-là sur un papier pour que mon mari le voie? Je ne pourrai jamais le lui répéter de vive voix. Ma mémoire...

— Ne vous en faites pas, madame, l'entrevue a été enregistrée sur bande magnétique et ma secrétaire vous la fera parvenir en entier.

Quand ils virent Bizarre sortir de la consultation au bout de sa laisse, trois toutous enrubannés qui étaient dans la salle d'attente, sautèrent sur les genoux de leur maîtresse. Mais Bizarre s'endormait trop pour remarquer leur comportement.

Un tel diagnostic impressionne. Omer ne pensait pas que Bizarre pût motiver semblable littérature.

Alertés, McLean et Bourgoin vinrent faire leur tour. Ils vinrent et revinrent si souvent que c'en était consolant pour les Lafortune. Tous, ils regardaient cette bête comme s'il se fût agi d'un filleul. Si bien qu'à la fin Bizarre ne savait plus lequel était son maître.

C'est dans ces jours-là, quelques semaines après la visite au psychiatre, que Mirella faillit se casser le cou en descendant à la salle de jeu. Distraction? Pas du tout. Deux marches manquaient. Oui. Oh! Pas tout à fait, mais presque. Et quand on n'est pas prévenu, l'accident arrive. Qu'était-il arrivé aux marches? Vous l'avez deviné: Bizarre les avait mangées.

Ce n'était pas dramatique. Omer aimait bricoler, et il les remplaça. C'était moins long et moins difficile que de construire un voilier.

Ce détail mit quand même les Lafortune, McLean et Bourgoin devant une évidence criante: ce chien avait besoin de quelque chose à gruger. Quelque chose d'autre que des marches d'escalier et du linoléum. Il lui apportèrent donc des os véritables, d'autres en caoutchouc, des sifflets, les nourritures les plus nouvelles; ils lui offrirent des bains de boue, des massages, des colliers, des visites chez le dentiste et le vétérinaire. Jamais on n'eut plus soin d'un chien.

Un jour de marché, McLean lui apporta même un lièvre – vivant! – en disant: «On verra bien s'il a du chasseur dans le sang.»

McLean avait l'oeil humide, ce qui explique l'idée qui lui était venue, car ce n'en est pas une qui arrive «à jeun». On n'a pas besoin de croire que Bourgoin n'était pas là. Ni Omer et Mirella. Ils y étaient tous.

On enferma donc le chien dans le garage avec le lièvre et on se massa contre la fenêtre de côté pour voir ce qui se passerait.

Pendant une minute ou deux, Bizarre regarda cet animal-là sans bouger. Il était étonné. Ces yeux rouges, ces oreilles droites au-dessus de la tête. Non! il n'avait jamais vu ça de sa vie! Quand le lièvre vit que le chien n'était pas plus dangereux que ça, il laissa retomber une oreille avec précaution. De voir ce pavillon qu'on amenait étonna Bizarre plus que tout au monde. Il aboya une fois, à faire trembler le garage, avança à pas mesurés jusqu'à deux pieds de cette bête toujours immobile, puis avança encore une patte prudente.

Comme il allait le toucher, le lièvre sauta à l'autre bout de la pièce. Alors, Bizarre faillit se trouver mal. Il se mit à trembler et à geindre.

— C'est tout un chien qu'on a élevé là, constata McLean.

— C'est la première fois, il faut l'entraîner, plaida Bourgoin qui ne voulait pas en démordre si tôt. Attendons un peu!

En effet, Bizarre se ressaisit et reprit ses efforts pour s'approcher de ce vis-à-vis. Mais devant son incapacité de le toucher, il entra en rage et fonça dessus. Mais il rencontra le mur, roula par terre, poussa un hurlement et se remit péniblement sur ses pieds en se secouant. Moins rassuré, le lièvre le regardait avancer une patte sournoise après l'autre. De nouveau, le chien s'élança sur lui. En deux bonds, le lièvre était près de la porte, le chien à ses trousses, ne se tenant plus de colère, courant, jappant. Un tremblement de terre n'aurait pas mieux secoué le garage.

Dans la petite fenêtre empoussiérée, les spectateurs se bousculaient pour mieux voir, mais avec si peu de résultats que Bourgoin, décidé à ne rien perdre de ce qui s'y passait, entr'ouvrit la porte du côté pour entrer. Le lièvre lui fila entre les jambes, le chien faillit le jeter sur le dos et les deux bêtes prirent la rue, le lièvre par bonds allongés, le chien, ventre à terre, hurlant comme dans une chasse à courre. Jamais la rue Girouard n'avait vu semblable poursuite à travers voitures et tramways. Les gens avaient à peine le temps de se cacher derrière les arbres ou de monter le premier escalier venu, que les bêtes étaient passées.

Au coin de la rue, l'agent de circulation se remettait mal de son étonnement quand une auto stoppa près de lui.

— Vous n'auriez pas vu un chien?...

— Et un lièvre? Par là!

C'étaient Omer et Mirella, lancés à la poursuite des bêtes.

— Dépêchez-vous! continua l'agent. Ils n'avaient pas l'air partis pour vous attendre. Ça passait en balle de fusil.

Une minute après, une autre voiture arrêta.

— Par là! Continuez!

C'était Bourgoin.

Puis arriva McLean, surexcité.

— Toute la ville est à la chasse, se dit l'agent, ahuri.

Pendant trois, quatre minutes, grand calme, puis le lièvre réapparut, puis le chien, puis les poursuivants. Coups de sifflet, bras agités, l'agent tentait en vain de maintenir un semblant d'ordre dans la rue chaque fois que passait la chasse. Une vraie folie!

Comme l'agent se demandait ce qui était advenu de tout ce monde et du chien et du lièvre, Omer et Mirella repassèrent, la tête basse. Bourgoin revint aussi, l'air abattu.

— Pas de chien! pas vu, plus vu!

McLean, bon dernier, repassa à son tour, pas fier de lui du tout, se demandant comment Lafortune allait prendre l'affaire. S'il n'avait pas d'abord eu l'idée saugrenue de cet accouplement et s'il n'avait pas ensuite amené le lièvre, rien de ceci ne serait arrivé. Quant à Lafortune, il prenait d'autant mieux la chose qu'il avait retrouvé son chien à la porte de sa maison, un Bizarre à peine essoufflé.

On se félicita à qui mieux mieux. Quelle aventure! La dernière, sans doute.

Du moins, on le croyait, mais un jour que Lafortune s'affairait dans la cuisine à garnir des sandwiches avec sa femme qui avait invité des amis – ils recevaient en fin d'après-midi – celle-ci eut la surprise de sa vie en entrant dans le living. La pièce était devenue blanche. Tables, canapés, fauteuils, tableaux, tout. On aurait dit qu'il avait neigé.

— Omer! fit-elle, abasourdie. Qu'est-ce qui nous arrive? As-tu vu ça? Vois-tu comme moi? Je suis malade?

Elle n'était pas malade. Ça, c'était la plume des coussins du boudoir, et le dieu de la tempête, c'était Bizarre, au comble de la joie, passant d'un fauteuil à l'autre pour en éventrer les housses. Il y avait de la plume jusque dans le bol de punch qui trônait au milieu de la table.

Vous pensez que le chien exagérait? Bien des gens seraient tentés de le croire. Mirella ne perdit pas contenance un moment.

— Bah! dit-elle. Il fait beau, nous recevrons dehors.

Omer, lui, se retenait de parler trop vite. On voyait qu'il commençait à en avoir assez de ce chien, surtout qu'il prenait de plus en plus souvent à la bête la fantaisie d'aller se promener à toute heure du jour ou de la nuit et qu'il insistait aussi longtemps que Mirella ou lui-même n'avait pas cédé.

— Sais-tu, Mirella, ce que je mijote depuis quelque temps? déclara-t-il un jour, excédé.

— Non. Qu'est-ce que c'est?

— Je ne voudrais pas te faire de peine, mais ce chien-là s'ennuie avec nous.

— Tu crois?

— Le coup du linoléum, celui des coussins et les autres. Je me demande s'il ne serait pas plus heureux à la campagne.

— Tu voudrais que nous déménagions à la campagne? Comme tu voudras.

— Pas nous, mais lui. On pourrait l'envoyer chez Marcel. Peut-être que là...

— Omer! protesta Mirella. Tu n'y penses pas?

Il y pensait sérieusement et de plus en plus depuis le jour où, intrigué par la largeur et la longueur inusitées de la nappe qui recouvrait la table de la salle à manger, il avait eu l'idée d'en relever un pan pour s'assurer qu'elle ne cachait pas quelque chose d'anormal. Il manquait une partie de la patte centrale du meuble et Mirella n'avait pas trouvé mieux que d'utiliser une nappe plus grande pour cacher le nouveau méfait de Bizarre.

Quand il avait fallu remplacer les rideaux de la chambre de l'aînée «parce qu'ils étaient défraîchis», des recoupements lui avaient révélé que le chien les avait tellement mâchonnés et avait tellement tiré dessus qu'il les avait descendus, tringle et tout.

Pourtant, Omer continua de ronger son frein en silence. Il fut moins silencieux quand, revenu à sa voiture où il avait laissé «Bizarre» le temps d'acheter un litre de lait et de causer avec le dépanneur, il retrouva en lisières la housse de la banquette avant.

— Tu projetais de changer de voiture depuis quelque temps, trouva Mirella. C'est l'occasion.

— Je crois plutôt que c'est le moment d'envoyer le chien chez Marcel, dit Omer, de plus en plus déterminé à prendre la grande décision.

— Non! répliqua Mirella. Je pense qu'il est temps de lui donner l'occasion de chasser. Si nous appelions tes copains, McLean et Bourgoin. Je suis certaine qu'ils seraient de mon avis

— J'ai honte de ne pas y avoir pensé plus tôt, admit Omer. La saison approche.

Dès le lendemain, on contacta les compagnons de chasse. Non! Ils n'avaient pas oublié Bizarre et leur curiosité n'était pas émoussée. Mais Bourgoin n'avait plus l'intention de chasser le canard – un peu d'arthrite lui faisait craindre les séances prolongées dans la cache. Quant à McLean, ses affaires lui interdisaient d'aller en forêt, cet automne. Il fallait que ça aille mal.

On en vint à un compromis. Après de multiples appels et visites chez Marcel, on en vint à l'entente suivante: aussitôt qu'il verrait des chevreuils au bord de son champ de sarrasin, il appellerait Montréal et, pour ne pas éveiller la curiosité des indiscrets qui écoutent sur les lignes téléphoniques, il dirait seulement que «les lignes étaient chargées». Seuls les intéressés comprendraient et se hâteraient de se rendre au bout du rang avec le chien.

Au début d'octobre, le téléphone annonça la nouvelle et les gens de Montréal promirent d'être là dès le vendredi soir suivant. On peut imaginer la hâte des chasseurs. Le soleil n'était pas encore couché, ce jour-là, que les trois voitures faisaient irruption dans la cour de ferme de Gouger. Il les regarda descendre, d'abord McLean et Bourgoin, puis Omer et Mirella avec «Bizarre» dans la nouvelle Buick.

— Qu'est-ce que c'est que ça? demanda froidement Marcel en apercevant la bête.

— Un chien, répondit Omer.

— Je m'en doutais un peu, mais j'en étais pas certain.

— C'est même un chien que tu connais, Marcel.

— Moi? Non. Les chiens que je connais, je les reconnais.

— Te souviens-tu de l'accouplement de mon «hound» et de son épagneul, précisa McLean? C'est lui.

— Pas possible. C'est toute une bête!

Après le voyage qu'il avait trouvé interminable, le chien se secouait, essayait ses jambes, s'étirait. Tout à coup, apercevant des poules qui s'en venaient vers un enfant qui leur lançait des grains, il partit comme un bolide et fonça dans le tas. Il y eut des gloussements, une fuite éperdue à coups d'ailes. En moins d'une minute, Bizarre les avait proprement secouées et elles étaient dans un nuage de plumes.

Les cris horrifiés et les jurons des spectateurs le ramenèrent à plus de calme. Il revint vers le groupe en emportant sa dernière victime, toute molle et sans vie, comme il l'aurait fait d'un canard, sans y mordre, fier de lui, secouant queue et arrière-train, attendant félicitations et encouragements. Ce ne fut pas exactement ce qu'il reçut.

— Ça promet! dit Marcel. Rentre-moi ce qui reste dans le poulailler! commanda-t-il au petit qui s'apprêtait à leur donner du grain.

— Ça, c'est une bête comme je les aime, dit un grand barbu que les gens de la ville ne connaissaient pas et qui flattait le chien des deux mains, alors que tous les autres lui tournaient le dos.

— Ça ne m'étonne pas, Quêteux, lui répondit Marcel.

Baluchon au dos, il était arrivé au début de l'aprèsmidi. Son chien maigre le suivait, la tête basse, à dix pas derrière, répondant à peine aux aboiements de ceux qui étaient prêts à défendre furieusement leur territoire, comme un vieil acteur désabusé que les huées ne dérangent plus. Ce «quêteux», on n'avait jamais su son nom, même pas son prénom, c'était «Quêteux». Portant en même temps et par tous les temps toutes les défroques qu'on lui donnait – habituellement les vêtements de ceux qui venaient de mourir – on ne parvenait pas à savoir s'il était gras ou maigre. Chez Marcel, on l'aimait bien. Il contait des histoires drôles aux parents, d'autres merveilleuses aux enfants, trouvait la cuisine bonne, dormait dans le foin de la grange et repartait habituellement le lendemain de son arrivée.

— Il connait drôlement sa plume, dit-il, après les commentaires des autres témoins du haut fait de Bizarre.

— Il est fort dans les plumes de coussins et dans les plumes de poules, mais pour ce qui est des canards, c'est une autre histoire.

— Ah! ça ira pour le canard aussi, ajouta McLean en allant chercher une bouteille.

Comme il se faisait tard et que la nuit s'annonçait froide, tout le monde entra. Car il était entendu que Gouger devenait pourvoyeur ce soir-là. Il y avait de la place pour tout le monde à coucher, puisqu'il n'y avait plus que dix enfants à la maison.

Mirella passa donc à la cuisine donner un coup de main à la femme de Marcel pour préparer le repas et les chambres. Ceci pendant que les hommes buvaient, se remémoraient des chasses célèbres ou de moins glorieuses et supputaient les chances de succès de Bizarre. Après avoir mangé, les hommes s'installèrent autour d'une table de poker pendant que les femmes faisaient la vaisselle. Quand tout fut rangé dans les armoires, les hommes firent une petite place à Mirella qui «lava» tout le monde – y compris Quêteux.

L'heure était inavouable quand on quitta la table et on prévoyait que le réveil serait pénible, mais pour voir un chien se révéler à la confrérie des chasseurs, il n'y a pas de sacrifice qui rebute.

Avant le lever du jour, Marcel était déjà debout et par toutes les chambres pour réveiller les élus. Personne ne se fit prier pour sauter dans ses bottes, malgré l'état dans lequel la soirée leur avait laissé la tête, la langue, l'estomac, le foie. Oh! maman! Il avait fallu se vêtir chaudement car l'air était vif et la rosée si épaisse qu'elle donnait l'illusion de la neige. Au bout du champ de sarrasin, les silhouettes romantiques de deux chevreuils; près du bois, les ombres à peine mobiles de moutons qui paissaient déjà – l'occupation primordiale de la journée. Le vent assez fort venant de la forêt –

détail qui favorisait l'opération – tous les éléments étaient en place pour la réussite de l'expérience, décor et galerie: McLean et Bourgoin, Omer et Mirella, Marcel et Quêteux – car celui-ci n'avait voulu pour rien au monde manquer le spectacle. Enfin et surtout, Bizarre, la vedette du jour.

Il n'y avait pas de temps à perdre, car les chevreuils pouvaient pressentir quelque danger et partir. Aussi, Marcel prit-il Bizarre contre lui, lui indiqua les chevreuils, l'encouragea, l'excita.

Le nez pointé vers la forêt, encore empêché de courir par Marcel qui le retenait par le collier, tout le corps secoué par l'atavisme de la chasse, frétillant d'anticipation, la patte repliée, la queue continuant bien droite la ligne du dos, il était admirable tandis que, ne se doutant pas du danger, les chevreuils secouaient une oreille, flairaient le vent, et mangeaient toujours là. Enfin, Marcel lâcha le chien.

Mirella, collée contre Omer, lui prit la main et ferma les yeux, ne voulant pas voir le massacre que les autres souhaitaient. Bizarre partit comme un bolide avec une souplesse et une puissance remarquables. Il suivit la clôture du champ de sarrasin et longea la forêt à toute allure, sans un bruit de branche, même pas de feuille. Tout à coup, on vit qu'une autre bête faisait le même trajet et sans plus de bruit que Bizarre, si bien qu'ils étaient maintenant tout près des chevreuils.

— Qu'est-ce que c'est que ça? grommela Marcel en voyant le deuxième chien.

— C'est le mien, répondit Quêteux tout bas. Il m'a échappé.

— C'est bien le moment! Tu n'aurais pas pu le tenir, le temps que...

Il ne finit pas sa phrase. Pendant qu'un des chevreuils disparaissait en trois sauts dans la forêt, l'autre bondit dans les airs, le sang giclant d'une carotide, les crocs d'un chien à la gorge. Lequel avait réussi le coup?

On était en droit de se le demander, car, au dernier moment, l'un des deux, laissant les chevreuils à leur déjeuner, avait couru sur un agneau qui ne se doutait de rien, l'avait étendu, raide mort, en un tour de gueule avant de passer à un autre, puis à la tête d'un veau.

— Que le diable m'emporte! dit Marcel abasourdi, tant la scène avait été rapide.

— C'est fini, tu peux regarder maintenant, dit Omer à Mirella.

— Qu'est-ce qui s'est passé? demanda-t-elle.

— Viens voir!

Avec tous les autres, ils se rendirent au bout du champ où les chiens, aussi fiers l'un que l'autre, les attendaient avec les dépouilles. Seul, Quêteux trouva des gestes d'encouragement pour Bizarre.

Comment les autres auraient-ils pu le féliciter? C'est lui qui avait attaqué les animaux domestiques.

On rapporta donc chevreuil, agneaux et veau à la maison, où les enfants enfin debout manifestaient leur déception. D'habitude, les jours de boucherie, ils étaient de la partie. C'était la fête pour eux. Aujourd'hui, on avait profité de l'obscurité et de leur sommeil pour tuer. Ils n'étaient pas contents.

Personne ne l'était d'ailleurs; mais on passa quand même à table, où chacun tirait ses conclusions en silence ou pas, Marcel additionnant ses pertes, McLean et Bourgoin, déçus mais prêts à se moquer d'eux-mêmes, Omer, perplexe, Mirella, désolée que Bizarre ait si profondément déçu et Quêteux, mangeant avec appétit.

Quand tout le monde fut sorti de table, Mirella s'occupa avec la femme de Marcel et deux des petites filles, pendant que les garçons allaient aider leur père à dépecer d'abord le chevreuil et à le faire disparaître rapidement, puis les agneaux et le veau. Il y avait aussi les vaches à traire. McLean et Bourgoin, eux, partirent au village, saluer leur vieil ami Comtois, l'hôtelier, dont la santé déclinait, en disant à Omer:

— Règle toute cette histoire, nous partagerons les frais une fois à Montréal.

Omer restait donc avec Mirella sur le perron à regarder cette pauvre ferme et la forêt qui l'entourait, déchiquetée par les maigres cultures, lorsqu'ils virent sortir Quêteux de la grange. Il paraissait sur son départ, baluchon, large chapeau de feutre rabattu sur l'oeil, canne ou gourdin à la main.

— Des ennuis? leur demanda-t-il en les apercevant, l'air songeur. Si vous en avez, monsieur Lafortune, faites comme moi! Prenez le baluchon! Moi, j'ai été de tous les métiers. Le baluchon, c'est le seul qui me laisse croire que je suis riche. Pas de soucis. On est habillé à l'oeil. On est reçu partout. Le voyage, les paysages...

— On n'a pas la vocation, Mirella et moi.

— Je dis que je n'ai pas d'ennuis, mais j'en ai quand même, précisa-t-il. Il n'y a rien comme le baluchon, c'est vrai, mais à la condition qu'on ait le chien qu'il faut. Tenez! Le mien... Il sait que nous partons, cherchez-le! Il se cache. Il a la chasse dans le sang, mais moi, mon domaine, c'est pas le lièvre et le chevreuil, c'est une poule ou un agneau par-ci, par-là. Quand on veut pas me recevoir, il faut bien que je me débrouille. Quand je les demande à mon chien, il me les apporte pour me faire plaisir, mais je sais que ça l'humilie. Non, il n'est pas heureux avec moi.

Quand Quêteux s'était arrêté devant eux, Bizarre était sorti de sa niche improvisée pour la nuit sous le perron et s'était couché à ses pieds. Pendant le silence qui suivit la confession de Quêteux, silence étonnant, si on considère le monde de réflexions dont il était meublé, Marcel arriva avec des quartiers de viande dans une brouette.

— Marcel, lui dit Omer. Veux-tu un chien?

— Votre chien? protesta Marcel. Oh non! Merci.

— Le chien de Quêteux.

— Ah! çà, c'est autre chose. Mais le chien de Quêteux, c'est à lui.

— Si je lui donne le mien et qu'il te donne le sien... Ça irait?

— Omer! protesta Mirella. Notre chien. Qu'est-ce que Crompton dirait? Et McLean et Bourgoin?

— À cause des ancêtres?

— Omer, tu te moques...

— Notre chien s'ennuie avec nous, tu le sais. Le linoléum, la plume, les marches de l'escalier... et les autres mauvais coups...

— C'est oublié tout ça.

— Non! Te souviens-tu du rapport que le psychiatre nous a envoyé? Il mentionne quelque part: «une réalité quotidienne incompatible avec des aspirations intimes...»

— Tu te souviens de son charabia?

— Je me souviens de ceci. Il avait raison. Bizarre aime chaparder et nous lui servons des conserves dans de la porcelaine fleurie. Parce qu'il ne chasse pas ce qu'on voudrait, on va l'enfermer en ville.

— Tu penses à le donner?

— Si tu l'aimes vraiment, il faut le donner. Si Quêteux le veut...

— Mais s'il est malade, s'il s'ennuie...

— S'il est malade et s'il s'ennuie, je vous téléphonerai, dit Quêteux, trop heureux de profiter de l'occasion.

— Frais renversés. Promis?

Quêteux la regarda, l'air amusé. Il savait utiliser le téléphone sans payer...

Quand Quêteux se leva pour partir, Bizarre n'hésita pas un moment à le suivre. À vingt pas, il se risqua à tourner la tête vers Mirella, vint lui lécher la main, et attendit. Omer lui flatta un peu les oreilles comme on signe un traité de paix, et le chien repartit.

— Attendez! Attendez! cria Mirella.

Elle courut à la voiture et revint avec la laisse de Bizarre, une belle laisse de cuir fin.

— Il en a pas besoin, lui dit Quêteux en reprenant la route.

— Ma maison sera grande, dit Mirella avec un soupir déchirant. O... O... Omer! cria-t-elle en allant se jeter dans ses bras. Elle était en larmes.

Il la garda contre lui jusqu'à ce qu'elle lui tirât le pan de sa chemise hors du pantalon. Elle s'en servait parfois pour s'essuyer les yeux. Quand elle eut reprit son calme il lui demanda:

— Si nous allions saluer les Lépine à Paris?...

Incrédule, elle le regarda, les yeux encore au chagrin.

— C'est sérieux?

— J'ai retenu les places.

— Mais je ne peux pas y aller, Omer. Si Quêteux appelle...

— Les filles nous transmettront le message.

Il y eut un moment de silence, et finalement Mirella se redressa en disant affectueusement:

— Démon! Grand démon! Quand tu veux quelque chose, tu t'arranges toujours pour que je dise oui.

Belle et l'autre

Depuis les premières fraises, des senteurs de conserves avaient flotté sur le village; celles des ketchups avaient suivi. De quoi donner de l'appétit aux moribonds. L'automne arrivé, on en parlait encore.

Un jour que Marie Métivier en discutait à la clôture avec une voisine, un tout petit chat sortit de la haie, passa entre deux plants de zinnias fleuris et s'arrêta dans le soleil sur la pelouse – un tout jeune chat noir et blanc, le noir et le blanc distribués n'importe comment. Il était nouveau dans le voisinage et, si Marie ne l'avait pas encore aperçu, il était bien peu probable qu'une autre l'ait vu, car elle avait une passion pour les chats.

Du coup, recettes et confitures l'intéressèrent moins. Tout en suivant distraitement le fil de la conversation pour ne pas quitter son poste d'observation, elle guettait le petit du coin de l'oeil.

Un peu étonné par ce qu'il voyait, il s'était immobilisé un moment, puis, queue au vent, s'était hâté vers la maison, une maison de bois blanche qu'elle habitait avec sa soeur Berthe et dont elles louaient l'étage.

— Saurait-il que nous avons déjà un chat? se demanda-t-elle. Vient-il lui rendre visite? D'où vient-il?

Comment a-t-il pu, si jeune, échapper à ses maîtres? Il avait dû profiter d'un moment d'inattention de leur part, sans doute...

Pendant qu'elle se posait ces questions, le chat, au lieu d'aller à la porte de leur logis, se dirigea vers l'escalier extérieur du «locataire d'en haut». Serait-il resté au bas de l'escalier, il aurait eu droit au bol de lait chaud que les soeurs Métivier offraient habituellement à leurs amis de passage. Leur hospitalité était connue de tous les chats du village. Mais celui-ci était si petit qu'il n'en avait probablement pas encore entendu parler. Bien que...

Pendant qu'elle s'interrogeait, il se mit en frais de monter. On aurait dit qu'il avait peur, mais il montait quand même. Avec des bonds sagement calculés, il atteignit la dernière marche. Là, il se coucha et attendit sans bouger ni miauler. Qu'attendait-il? Allongé dans le soleil de fin d'été, il regardait le paysage qu'il dominait, pelouse, fleurs, potager plutôt dégarni, pommiers et pruniers lourds de fruits, etc.

— C'est peut-être un petit chat que le locataire vient d'acheter pour ses enfants. Mais alors, pourquoi le laisse-t-il déjà circuler en toute liberté? Quelqu'un pourrait le voler, il était si mignon; ou encore une voiture l'écraser...

Au diable les confitures! Trop préoccupée pour s'y intéresser plus longtemps, elle rentra, troublée, pourchassée par ce qu'elle venait de voir. Et un peu vexée aussi, parce qu'il n'était pas venu chez elle, plutôt que chez le locataire.

— La voisine est bien? lui demanda Berthe.

— Oui, oui, ça va. Rien de neuf de ce côté-là.

Elle ne souffla pas un mot de ce qu'elle avait vu. Pourquoi l'aurait-elle fait? Il n'y avait pas de quoi fouetter... Pardon!

Elle reprit ses activités dans la maison, sans toutefois s'éloigner de la fenêtre d'où elle pouvait voir l'escalier qui desservait l'étage.

Après une heure, ou deux peut-être, il redescendit les premières marches avec précaution, roula dans les dernières et se retrouva un peu éberlué sur le sol. Il se secoua – histoire de se repeigner – et repartit entre les zinnias, sous la haie, et plus rien! Elle ne le revit pas de la journée.

Ainsi se meublent les heures des villages. Une jolie bête, une fleur, un rideau qu'on replace, alors qu'il tombait pourtant bien, une recette, quelques réflexions et la nuit tombe.

Le lendemain, même manège à peu près à la même heure et ainsi pendant une semaine. D'où ce chat pouvait-il bien venir? Que voulait-il? Qui le nourrissait? Il ne demandait jamais à manger. Curieux! Il montait toujours chez le locataire avec autant d'application, mais ne roulait plus en redescendant les dernières marches. Hélas, pas plus à l'aller qu'au retour, il ne tournait la tête vers le logis des soeurs Métivier. C'en était presque humiliant.

Un jour que le locataire était venu payer son loyer, Marie ne put contenir sa curiosité.

— Vous avez un nouveau chat? dit-elle.

Il eut l'air ahuri.

— Un nouveau chat? Vous pensez que ma femme endurerait un chat dans la maison, en plus de deux enfants?

Non! Évidemment. Elles l'entendaient toute la journée crier après les petits – quatre et deux ans. C'était une maigrichonne à tignasse noire et à la voix aussi brève que la main. Les enfants en savaient quelque chose et leurs pleurs soulevaient l'indignation des deux soeurs. Quand le sommeil des petits ramenait le calme dans la maison, le mari, un grand garçon athlétique, passait la moitié des nuits à bricoler dans son atelier au lieu de se reposer dans les bras d'une épouse apaisée. Évidemment, elle n'admettrait pas de chat chez elle. Mais alors, pourquoi montait-il jusque-là? Pourquoi?

— Tu ne m'avais pas dit qu'un petit chat montait chez lui depuis un mois, reprocha Berthe à sa soeur, lorsqu'il fut parti.

— Pourquoi te l'aurais-je dit? Un chat n'est qu'un chat et nous en avons déjà un.

Berthe ne répondit rien, ce qui ne l'empêchait pas de penser. En effet, pourquoi pas un deuxième chat?

Berthe, une octogénaire avancée, était l'aînée de plusieurs années. Très intelligente, admirable de lucidité, son autorité sur sa cadette, bien que douce, se faisait quand même sentir. C'est elle qui décidait de presque tout. Presque, puisqu'elle n'avait jamais pu convaincre sa «petite» soeur de ramener son potager à des dimensions plus raisonnables. Berthe n'y travaillait pas. C'était le château fort de Marie qui s'y dépensait de façon parfois excessive, il est vrai. Berthe avait beau gronder, rien n'y faisait.

Elle n'avait jamais non plus réussi à l'éloigner des clôtures et des haies où elle faisait des conversations prolongées avec les voisines, ce que l'aînée ne faisait jamais.

Marie défendait comme ça ses positions et gardait des secrets qui l'aidaient à s'affirmer. L'histoire du petit chat en était un.

— Si tu le vois demain, préviens-moi! Je veux le voir aussi, insista Berthe.

Depuis qu'elles avaient pris leur retraite, les chats avaient fait partie de leur vie. D'abord il y avait eu la petite dont un neveu leur avait fait cadeau, une ravissante chatte qui, entre ses ébats amoureux, était affectueuse, disciplinée, attachante. Après quelques mises bas difficiles, la maladie l'avait forcée de se ranger – une longue maladie qui l'avait emportée, laissant les deux soeurs inconsolables.

Après ce départ déchirant, elles s'étaient bien juré de ne plus en adopter d'autre et avaient tenu parole un mois, deux mois... Une maison sans chat, que c'est vide!

Le printemps terminé, étaient arrivés l'été et les travaux du potager. Marie y faisait merveille. Ce qu'elle pouvait tirer de ses plates-bandes était un sujet d'étonnement pour les voisins; et pour elle, de fierté. Aussi, dès les premiers légumes, les conversations amicales avec les voisins avaient repris, de même que les échanges de primeurs, les petits oignons, les petits radis, les petites fèves. C'étaient des légumes tout petits, mais à pleins paniers. Quelle joie de les offrir!

Aux premières tomates, la voisine de gauche, ne voulant pas être en reste pour une fois, revint un jour à la clôture avec une corbeille où dormaient six chatons que la mère, hérissée, suivait en zigzaguant et miaulant.

— Vous avez le choix, dit la voisine. Prenez celui qui vous plaira.

Marie s'appuya à la clôture. C'était dans cette position qu'elle tâchait de résister aux tentations les plus fortes. Il y en avait un, tigré, rond comme une boule de poils multicolores, «une chatte d'Espagne», une rareté, un rêve de bien des années.

— Il faut que j'en parle à Berthe. Vous permettez? dit-elle en emportant la corbeille.

Comment Berthe aurait-elle pu résister? Il fut convenu que la bête repasserait la clôture aussitôt que sa mère la sèvrerait.

Dès ce moment, on décida de son nom: elle s'appellerait «Belle». On lui capitonna une corbeille, on choisit une soie rose pour la recouvrir, on acheta une écuelle rose aussi pour le lait, quelques boîtes de conserves – au cas – et on l'attendit de plus en plus impatiemment. Aux cenelles, la petite passa la clôture.

Rarement chatte fut plus dorlotée. Comment ne pas être aux genoux des jeunes chats? Pourtant, ce ne fut pas long qu'on la porta chez le vétérinaire. Déjà grande! Les deux soeurs n'allaient pas risquer pour celle-ci le sort de la précédente. Et, le même jour, on la ramena à la maison.

Pour Belle, ce fut le début d'un règne dont elles n'osaient plus compter les années, mais qui fut long et dictatorial. Sa vie de sybarite avait eu vite raison de sa grâce et de son enjouement. Elle était devenue énorme. Pas étonnant. On lui donnait à manger cinq ou six fois par jour, sans parler du lait chaud auquel elle avait droit au réveil, au coucher, dès que le temps était frais et quand elle avait soif. Quand elle n'en pouvait plus d'avoir mangé poulet, poissons, boeuf, tomates et quoi encore – elle mangeait de tout – elle se réfugiait sur une poutre de la remise et ne bougeait plus de là. Rien ne l'en faisait descendre, ni la nuit, ni le jour. Les deux soeurs avaient beau lui expliquer que ça faisait six heures qu'elle était juchée là, dix heures, une journée, deux jours. Rien! Elle ne bougeait pas.

Quand, malades d'inquétude, elles se retiraient pour la nuit, elles lui laissaient pourtant deux écuelles, l'une de lait, l'autre d'eau. Le lendemain, l'eau était partie, le lait était resté. Belle faisait sa cure. Quand, enfin, elle daignait réintégrer le logis, elle se dirigeait nonchalamment vers l'écuelle de lait qui l'attendait et sa gourmandise reprenait le dessus au grand bonheur de la maisonnée. Esquissait-elle un geste, manifestait-elle un caprice? Vite on se rendait à ses volontés. Parfois, seulement pour le plaisir de les voir accourir, elle miaulait faiblement une fois, une seule petite fois. Alors, c'était la recherche de ce qui pouvait bien l'avoir fait miauler.

Sans les compter et sans les analyser, que de sacrifices n'avaient-elles pas consentis à leur tyran! Ne fût-ce que celui du chien que Berthe aurait aussi voulu avoir. Oh! pas un gros, mais un caniche, un épagneul ou un petit chien comme celui des nièces de la ville...

En route pour leur maison de campagne à Sainte-Adèle, celles-ci arrêtaient parfois les saluer ou prendre un repas. Comme elles n'auraient pas pensé laisser leur chien dans la voiture, elles le faisaient entrer. Alors Belle, horrifiée, se réfugiait sous le lit le plus bas de la maison et n'en sortait plus, tant que la bête de la ville n'était pas partie. Bien plus, le chien parti, elle restait le plus souvent sous le lit, comme pour punir ses maîtresses d'avoir laissé entrer ce monstre. Et ça durait et ça durait malgré les supplications des deux soeurs et les promesses de friandises. Mêmes singeries quand un étranger entrait. C'étaient des représailles à n'en plus finir. Que ses maîtresses se le tiennent pour dit: Belle n'admettait pas l'intrusion de chiens ou d'humains dans son royaume. Et les années avaient passé. Douze ans, exactement!

Ne nous méprenons pas! Dictature il y avait eu sans doute, mais personne ne s'en était plaint. Belle avait été une présence accaparante, mais ses sautes d'humeur avaient apporté une diversion à la monotonie du quotidien et, dans un village, quand on ne peut travailler au potager, qu'on a préparé le repas, qu'on s'est attardé sur le perron à secouer la nappe, qu'on a lavé méticuleusement les carreaux et fait un peu de ménage, que reste-il à faire? Les cartes, un peu de télévision et... la chatte.

D'ailleurs, quand les agents d'immeubles s'étaient un jour abattus sur elles – car elles avaient imprudemment parlé de se retirer dans un foyer pour personnes âgées – elles avaient été bien contentes de prétexter qu'elles ne quitteraient pas leur maison, parce que, dans ces foyers, on n'admettait ni chien, ni chat. Alors...

Alors Belle avait continué de régner; mais est-on jamais assez heureux? Sans doute, la vie à trois était agréable. Pourtant, il n'était pas question de faire entrer un chien dans la maison. Belle l'avait bien fait savoir à ses maîtresses. Berthe rêvait d'un autre chat. Aussi, quand le lendemain de la visite du locataire Marie entraîna sa soeur à la fenêtre au moment où le petit montait les marches, Berthe fut immédiatement conquise.

— Oh! qu'il est mignon! dit-elle les mains jointes. Si nous l'adoptions... Belle n'y verrait aucune objection, j'en suis sûre. Elle est si douce.

— Douce! Tu ne te souviens pas du sort qu'elle faisait à ceux qui s'aventuraient dans son domaine, dès qu'ils avaient le malheur de traverser la haie?

— Il y a longtemps de cela. Peut-être que maintenant... L'hiver approche et, depuis un mois, ce petit est toujours dehors, beau temps, mauvais temps.

Dans son optique, la charité chrétienne exigeait qu'il trouvât gîte et couvert avant les grands froids. Toutes ces années, Belle avait été bien heureuse de s'installer sur les genoux de l'une ou de l'autre pour se faire peigner ou caresser et dormir. Le temps était venu pour elle de partager. En adoptant le petit, elles pourraient s'occuper de l'une ou de l'autre bête et la maison n'en serait que plus harmonieuse.

Il fut donc convenu que, dès le lendemain, les manoeuvres commenceraient pour attirer le futur pensionnaire.

— D'abord il faut s'informer auprès des voisins. Peut-être a-t-il déjà des maîtres, dit Berthe, la sage.

Enquête faite, aucune des voisines ne l'avait eu chez elle et aucune n'avait la moindre idée d'où il pouvait venir. Ce point réglé, d'autres doutes surgirent. Avaient-elle droit à ce nouveau plaisir? Si le petit appartenait à l'un des enfants qui passaient chaque jour devant la porte pour aller en classe... Donc, plusieurs jours de suite, Marie se tint au bord du trottoir à la sortie des élèves et leur demanda s'ils connaissaient ce petit chat, s'il leur appartenait. Non! Personne ne le connaissait.

Le chat serait tombé du ciel qu'elles n'en auraient pas été surprises. Moins miraculeuse, l'explication était probablement que, les vacances finies, un automobiliste l'avait abandonné au bord d'un trottoir avant de rentrer en ville.

Après toutes ces démarches, plus question de remords de conscience, et les deux soeurs mirent en oeuvre des moyens de séduction qui ne pouvaient que réussir. Par un matin froid de fin novembre, le petit ne put résister à ce bol de lait chaud qui se trouvait, comme par hasard, au pied de l'escalier. Le lendemain, le bol était un peu plus près des marches qui montaient chez les deux soeurs, et de plus en plus près de la porte, puis, sans cris ni résistance, le petit se trouva dans la maison.

Restait à faire passer le grand test. Belle tolèrerait-elle ou non cette présence chez elle? Devrait-on s'interposer entre deux bêtes crachantes et toutes griffes sorties? Décrocherait-on le petit d'un rideau où il se serait réfugié pour son ultime défense? Courrait-on chez le vétérinaire pour faire panser le nouveau à demi déchiqueté par les griffes de la douce Belle?

Rien de tout ceci ne se produisit. Olympienne derrière ses paupières tirées, consciente de sa masse imposante, et immobile, elle regarda le petit s'approcher, se laissa donner un coup de patte arrondie et taquine, mordiller une oreille et même déplacer la queue. Devant l'évidence que la grosse chatte était bien vivante et pas méchante, le petit y alla de tout son charme, de sa jeunesse enjouée et Belle assista sans protester aux feintes, aux passes, aux pointes du petit et quand il fut épuisé de jeux et de courses, elle le laissa s'endormir contre elle, poils à poils, arrondi contre son cou. Sans avoir bougé, elle avait daigné accepter un nouveau sujet.

La partie gagnée, les deux soeurs se regardèrent avec un air triomphant et la vie à quatre s'organisa, sans que Belle revînt sur sa décision.

Comment raconter l'existence d'une maison heureuse? Le matin, on ouvrait la porte de la cave où dormaient les bêtes, chacune dans sa corbeille capitonnée et elles se trouvaient devant leur lait chaud. Oh! ne vous scandalisez pas d'apprendre qu'elles dormaient à la cave. La cave étant propre et ordonnée, les bêtes y étaient aussi confortablement installées que dans la maison, mais n'avaient pas la tentation de dormir dans les lits de leurs maîtresse – dernière intimité que les deux soeurs leur refusaient.

Le petit déjeuner pris, il y en avait un plus substantiel qui suivait, puis des collations, puis des sorties surveillées autour de la maison, puis des siestes sur les meilleurs fauteuils ou sur les genoux les plus hospitaliers. Pour le petit, c'était le ravissement. Pendant que Belle, réfugiée sur le dos du fauteuil, dominait la scène, il y allait d'un ronronnement dont la puissance grandissante étonnait chaque jour. Et les deux soeurs l'écoutaient avec un sentiment qui devait ressembler à celui des mères qui entendent muer la voix des fils.

Novembre passé, les beignets et les tourtières se firent, signes avant-coureurs de Noël. Bientôt, quand neveux et nièces viendraient apporter et recevoir leurs présents, les deux soeurs seraient fin prêtes. Une autre année s'achevait.

Un soir, deux jours avant Noël, enveloppées de leurs robes de chambre longues et chaudes – une de leurs coquetteries – elles vinrent s'installer à la table à cartes. La partie commençait à peine qu'on frappa à la porte. Marie alla répondre. C'était le locataire qui venait offrir ses voeux, disait-il.

Elles avaient toujours plaisir à le voir. Oui, autant à le voir qu'à le recevoir, car en plus d'être gentil, il était beau comme un dieu, s'il y a des dieux blonds. La vie leur avait refusé les joies du mariage – c'est ainsi qu'on en parle, n'est-ce pas? – mais elles ne lui en voulaient pas et savaient apprécier la beauté. Qui n'y est pas sensible? Lui sentait bien leur admiration, mais ce n'était pas ce qui le faisait s'attarder, car il s'attardait et Berthe eut vite la puce à l'oreille. Il n'osait pas demander quelque chose, mais il y viendrait, elle en était sûre. Il y vint.

— Noël est là, dit-il enfin, et je voudrais faire un cadeau aux enfants.

Les deux soeurs savaient déjà où il voulait en venir.

— Vous vous souvenez du petit chat qui venait se réfugier au haut de notre escalier?

Si elles s'en souvenaient!...

— Les enfants le voyaient tous les jours par la fenêtre et suppliaient leur mère d'aller le chercher. Il ne demandait qu'à entrer, c'était évident, mais ma femme ne voulait pas en entendre parler, vous le savez. Je lui en ai de nouveau parlé hier, elle y consent maintenant. Les enfants savent qu'il est ici, que vous l'hébergez. Comme vous en avez déjà un, je me demandais si vous ne céderiez pas le nouveau. Ils seraient si heureux de l'avoir. Ils en parlent tous les jours. Ce serait leur compagnon. Et quand la maison que j'achève de construire sera prête, il me semble qu'il y sera heureux. Vous savez, les enfants, les animaux, la campagne...

Devant le regard outré de Berthe, il perdit contenance. Pourtant il insista:

— Nous partons pour les fêtes chez mes parents tout à l'heure. J'aurais aimé emmener le chat. Ce serait un Noël parfait.

Berthe secoua la tête.

— N'oublie pas, lui fit remarquer Marie, que c'est en haut qu'il allait. Il voulait peut-être vivre avec les enfants plutôt qu'avec nous...

— Pas question! trancha Berthe avec un mouvement déterminé qui valait mille mots.

— Mais les petits... insista Marie.

On se congratula, on se fit des voeux, on se sépara et sans autres commentaires, les deux soeurs reprirent leurs cartes. Quand le locataire partit en voiture avec sa famille, elles se retrouvèrent enfin chez elles sans le piétinement des enfants et les cris de leur mère à l'étage.

Les chats descendus à la cave, les cartes étaient leur passe-temps, le soir, avant les nouvelles et le cinéma de minuit à la télévision. Elles se couchaient toujours très tard.

— Je ne sais pas pourquoi, dit Berthe, je n'arrive pas à me concentrer.

— Et je vais te battre et tu n'aimes pas ça, répondit Marie. C'est cette affaire de chat qui t'ennuie?

— Mais non! Comme si j'avais pu penser pendant un instant à le donner.

— Nous aurions peut-être dû l'offrir aux petits. Je me sens égoïste.

— Moi pas. J'aime ce chat déjà autant que Belle, et toi aussi d'ailleurs. J'en suis certaine. Il sera mieux avec nous qu'avec des enfants qui lui arracheraient les poils, le tireraient par la queue ou les oreilles, qui oublieraient de le nourrir et le battraient peut-être.

— Tu exagères.

À cet instant, le téléphone sonna. Ni l'une ni l'autre ne dit un mot, mais elles se regardèrent en pensant qu'un neveu ou quelqu'un de la famille était malade. Pour appeler à une heure aussi tardive, il fallait que Loulou ou Jean ou Raymond...

Se levant à regret, Berthe alla répondre. Qu'il est difficile de soulever l'écouteur, quand on est sûre d'entendre une voix chère qui nous apprendra un malheur.

— Oui? dit-elle du ton le plus composé.

Il n'était pas question de maladie. C'était une voisine qui annonçait que la maison brûlait. Quelle maison? Leur maison. Les flammes sortaient déjà par le toit. Une voisine les avait vues par hasard et s'était empressée d'alerter les pompiers qui accouraient.

— Qu'est-ce que c'est? demanda Marie, avant même que sa soeur eût raccroché.

— Notre maison brûle, répondit Berthe en retombant lourdement dans son fauteuil près de la table. Les pompiers viennent.

Pour elle, les pompiers éteignaient les feux comme les médecins guérissaient. Ce n'était pas plus compliqué que cela. Comme elle cherchait une ligne de conduite, les pompiers arrivèrent. Spots, tuyaux d'arrosage, courses dans l'escalier extérieur, cris, bruits étranges. Il y avait de quoi rassurer un optimiste. Incapables de prendre une décision, les deux soeurs écoutaient ces va-et-vient insolites. Quelle affaire! Comment et pourquoi le feu s'était-il déclaré? Un des enfants ou cette sotte de femme... un rond de la cuisinière était-il resté allumé, un chaudron y avait-il brûlé? Les ampoules de l'arbre de Noël?

— Mais qu'est-ce que vous faites, là, vous deux? s'exclama un pompier en faisant irruption dans la pièce.

Berthe lui montra une main pleine d'atouts.

— Mais vous êtes là! lui répondit Berthe toute confiante.

Ils étaient là, mais à son air ahuri, elles comprirent qu'ils ne pouvaient plus grand-chose contre cet incendie. Il fallait donc partir. Mais où? et quand?

— Tout de suite et ça presse, s'écria le pompier. Chez la voisine, où vous voudrez, mais tout de suite. Sortez!

Le ton de l'homme était sans réplique. Marie jeta les cartes éparses sur la table, Berthe posa calmement les siennes, se leva et jeta un long regard sur ce qui l'entourait. Qu'emporter? Ce n'était pas le moment de penser aux meubles, aux tableaux. Un sac à main? Les flammes léchaient déjà les fenêtres d'une des chambres. Avant qu'elle eût eu le temps de planifier une retraite censée, deux neveux entrés en coup de vent les enveloppèrent de fourrures et les conduisirent à une voiture chauffée qui les emmena.

En tournant le coin de la rue, elle jetèrent un regard derrière elles. Toute la maison flambait et par-dessus ces rouges et ces jaunes de destruction, la fumée rejoignait les nuages. Comment tant de fumée lourde et sale pouvait-elle sortir d'une maison blanche remplie de beaux souvenirs?

Les neveux les conduisirent chez l'un d'eux qui habitait en retrait du village une vaste demeure où des nièces les attendaient dans un salon accueillant dont les rideaux avaient été tirés pour qu'elles ne voient pas le rougeoiement du ciel. Les neveux repartis, on causa. On fit des appels téléphoniques. On but un peu de thé, on mangea quelques biscuits. Malgré le drame, les deux soeurs gardaient une allure composée. Puis vint l'heure de dormir. Car, malgré tout, il fallait bien dormir, tout au moins s'allonger.

Avant de se retirer dans la chambre qu'on lui avait assignée, Berthe retint un moment un de ses neveux qui était revenu chercher un vêtement plus chaud et le remercia de ce qu'il avait fait. Comme il se hâtait de repartir, elle ne lâcha pas sa manche, car elle avait encore un service à lui demander.

— De grâce, le supplia-t-elle, inquiète-toi de nos chats. Regarde si tu ne les verrais pas autour de la maison. Nous les avions mis à la cave pour la nuit, mais... Je serai dans mon lit, mon lit... mais tu te doutes bien que je ne pourrai pas dormir. Quand tu reviendras, n'hésite pas à m'apporter les nouvelles.

Le neveux parti, elle écarta un peu les rideaux, remarqua que le ciel n'était plus rouge. Puis, elle s'allongea et attendit.

Quelques heures plus tard, elle entendit une voiture s'arrêter dans l'allée qui conduisait au garage. Les phares s'éteignirent. Quelqu'un entra. Ce ne pouvait être que le neveu et les nouvelles. C'était lui.

Il n'eut pas à frapper à la porte de Berthe. Elle était déjà debout, sa soeur aussi et toutes les deux avançaient au-devant de lui.

— Alors?... demandèrent-elles.

— Alors, la maison est en ruines. Des ruines couvertes de glace, sur le toit, sur les murs, ... épais comme ça sur le parquet de la cuisine. Le toit va s'écrouler d'un moment à l'autre. Nous avons cloué des planches aux fenêtres et dans les portes pour empêcher les imprudents d'entrer. Il n'y a plus grand-chose à récupérer. Du moins pas pour le moment.

— J'avais compris, lui dit Berthe, avec un geste de la main qui balayait cette question comme si elle n'avait qu'une importance secondaire. Mais les chats?... Le petit?...

Le neveu lui montra ses mains vides.

— Les pompiers les ont trouvés morts à la cave. Le froid, la fumée... Dans la même corbeille.

Sans un mot, Marie rentra précipitamment dans sa chambre et referma la porte derrière elle. Ce n'était pas l'heure des reproches. Ce ne serait jamais l'heure des reproches. Elles s'aimaient trop pour s'y abaisser. Si elles devaient s'en faire, chacune se les adresserait à elle-même et chacune tirerait la leçon que la mort d'un petit chat venait de leur servir.

De la main gauche, Berthe serra sa robe de chambre contre son cou et tendit la droite comme pour chercher un appui.

Le neveu la saisit et, lui entourant les épaules de son autre bras, la reconduisit à son lit, l'aida à s'y étendre, la borda et, au moment où il allait éteindre, elle lui dit:

— Demain, tu appeleras le docteur Dufresne. Je veux savoir si ma tension artérielle me permet de faire ce voyage à New York.

Il s'immobilisa.

Bien des années plus tôt, elle avait fait un assez long séjour à New York, deux, trois semaines... Quant au docteur Dufresne, il était mort depuis longtemps.

La tablette de chocolat

Il y a de ces jours... Il y a de ces jours où on se demande pourquoi ils ont commencé. Allons, du courage! Il faut quand même les vivre. Pour Liette, ce mercredi-là était un lendemain. En effet, pas plus tard que la veille, elle avait mis fin à une idylle qui la portait depuis des mois. Eh oui!... Finie la belle histoire d'amour avec Armand, une histoire dont le début avait été tellement romanesque!

Elle l'avait croisé un soir qu'il sortait du Forum avec un sac rempli de vêtements puants et d'articles de sport au bout d'un bâton de hockey qu'il tenait sur l'épaule. Ce qu'il était beau! Il avait dû gagner le match, car il respirait le succès, l'assurance. Ce qui ne l'empêcha pas de l'apercevoir, elle, toute fraîcheur et toute admiration aussi. Il lui dit quelque chose, elle ne savait plus quoi; elle répondit n'importe quoi et la première chose qu'elle sut, elle était au restaurant du coin à boire un café... avec lui.

Ils se revirent et se revirent. Elle ne demandait que ça. Tant et si bien que ses amis ne la reconnaissaient plus. D'abord, elle leur était devenue presque inaccessible, s'imposant d'être libre au cas où Armand lui passerait un coup de fil. Malgré les protestations de ses partenaires de tennis, on ne la voyait plus au club. Au lieu d'accepter leurs invitations à dîner dans les meilleurs restaurants, elle se gavait de hot-dogs et de hamburgers – même pas rue Saint-Laurent – au Stade olympique ou au Forum et buvait la bière détestable qu'il lui achetait, celle qu'il préférait. Elle passait des soirées dans des gradins à trembler qu'il ne fût blessé pendant les matches qu'il jouait. Elle grelottait aux parties de football, mais près de lui, avec lui, son Armand.

Finie l'époque des fronces, des biais et des ruches! Elle avait tout remplacé par de la laine, du denim et du cuir. Les souliers souples avaient fait place à des godasses. Tout cela pour les belles épaules et les fesses arrondies de son héros. «Les épaules d'un joueur de défense et les fesses d'un centre» disait-il.

Puis, par un curieux cheminement, elle avait commencé à regarder les jolies robes et les souliers fins dans les vitrines et, à la dérobée, les autres garçons moins musclés qu'Armand, mais moins sûrs d'eux-mêmes. Certains jours, il lui venait à l'esprit qu'il se hâtait d'en finir pendant leurs ébats amoureux pour ne pas manquer la fin d'un match à la télévision. Il lui semblait qu'il ne faisait l'amour que d'un oeil, l'autre étant rivé sur l'écran. Elle avait essayé d'éteindre quand il annonçait sa visite, mais il rallumait l'appareil en entrant. En un mot, elle en était venue à l'observer. Et en amour, si vous n'êtes pas aveugle, vous ne savez pas où vous allez.

La fin était arrivée hier soir. Triste fin!

Au lieu de la mener au cinéma, comme elle le lui avait demandé – elle se faisait une joie de passer une soirée bien au chaud, la tête sur une épaule musclée, à manger du pop-corn – il l'avait appelée à la toute dernière minute pour lui dire que son équipe avait pu obtenir la glace du Forum à dix heures, ce soir-là, alors...

Alors, prise d'une colère dont elle n'aurait pas été capable un mois plus tôt à l'endroit de son Armand, elle lui souhaita bon match et lui intima l'ordre de ne plus lui casser les pieds, jamais. Elle en avait assez de lui, de ses sports et de ses exigences. Elle n'était pas son esclave. Il avait entendu parler de la libération de la femme, oui? C'était son tour à elle de se libérer.

— Et que le diable t'emporte!

On a beau dire, une rupture, ça libère, mais ça déchire aussi, ne serait-ce que la routine.

Le lendemain donc, elle se rendit au bureau comme d'habitude, mais le coeur n'y était pas. Il flottait, entre le passé encore si enivrant et le vague à l'âme, une espèce d'incertitude... S'il rappelait ce soir-là? Non! De ce côté-là, elle était sûre qu'elle n'accepterait pas de le revoir. Sa détermination était toute calme et toute lucide. Il l'avait assez fait marcher. Le rideau était tombé. Elle voyait clair, maintenant. La page était tournée.

Quand arriva l'heure du lunch, elle n'eut pas le courage d'entendre les balivernes de ses compagnes de travail à la cafétéria. Elle avait besoin de se retrouver toute seule et de réfléchir, ce qui ne lui était pas arrivé depuis un bon moment. Elle décida d'aller manger au *Dunkin' Donuts*. Elle prit un imper, un sac à main bourré, un fourre-tout qui criait grâce, un parapluie, un livre, un journal, enfin le minimum dont une femme a besoin pour aller manger un beignet, et partit.

À la sortie de l'immeuble, un petit garçon l'accosta pour lui proposer une de ces grosses tablettes de chocolat qu'on vend à prix fort pour aider une équipe de ceci ou de cela à l'école. Ah non! Elle fit le geste d'écarter le gamin de sa route. Elle n'allait quand même pas encourager une autre équipe de hockey ou de football, après ce qu'elle venait de traverser.

— Madame! C'est pour notre corps de clairons! Deux piastres!

Il avait l'air tellement touchant, il était si gentil... Elle l'imagina défilant fièrement avec son clairon et ne résista plus. Elle chercha donc un billet de deux dollars dans les poches de son imper. Il n'y en avait pas. Elle fouilla dans son fourre-tout. Là non plus. Dans son sac à main... pas davantage. Pourtant, elle devait bien avoir quelques dollars quelque part. Sinon, adieu le *donut*, adieu la tablette de chocolat! Enfin, dans une pochette du sac qui en avait au moins dix, elle trouva les dollars, paya et repartit, gardant dans la main la tablette qui devait tenir à distance les autres importuns du corps de clairons qui viendraient lui en proposer. Quand on a un parapluie, un livre et deux sacs, ce n'est pas facile. Comme les hommes savent simplifier! se dit-elle. Un grand sac, un bâton de hockey... Oh non! surtout pas ça! Le restaurant était à deux pas et il ne pleuvait pas tellement, mais elle décida tout de même d'utiliser sa voiture, car sa chaussure la blessait au talon. Tout étonnée, elle réussit à trouver la clef sans trop de recherches, ouvrit, contente d'y être enfin, jeta tout le fourbi sur la banquette et partit.

Un moment plus tard, harnachée comme une saltimbanque sous son parapluie, elle traversa en courant le terrain de stationnement et entra. Au lieu d'aller d'abord tout déposer à une table et de revenir chercher ce qu'elle voulait manger, elle passa tout de suite au comptoir et mit sur un plateau un bol de potage, un beignet et un café. Enfin, apercevant une table libre, elle y posa le plateau, distribua ses possessions au hasard sur la banquette, un peu par terre et s'assit.

Tiens! Elle n'avait pas remarqué le garçon qui était à sa droite. Les tables se touchaient. Pas mal, le garçon! Pas mal du tout! Elle pensa bien qu'il ne mettrait pas grand temps pour engager la conversation sous un prétexte ou sous un autre, mais elle n'était pas d'humeur à causer avec un inconnu. S'il lui adressait la parole, elle ne répondrait pas. C'est l'arme ultime qui vient à bout des plus audacieux comme des plus insinuants.

Il lisait ou faisait semblant de lire son journal? Elle en ferait autant. Elle ouvrit donc distraitement le sien et tomba sur les pages des sports qu'elle tourna rageusement et s'arrêta plutôt à la mode, cette bonne vieille folle qui se donne l'air jeune à chaque saison.

À la réflexion, elle se disait qu'elle avait été bien inspirée de venir ici. Tout en lisant, elle défit l'emballage de la tablette de chocolat qui était à la portée de sa main droite et la senteur la mit en appétit. Mais elle retira la main. Elle n'allait quand même pas commencer son repas en mangeant du chocolat. D'abord, le potage! Elle en prit distraitement un peu, tout en continuant sa lecture. Pas longtemps! Car, du coin de l'oeil, elle vit son voisin avancer prudemment la main vers la tablette et s'en casser un morceau.

Il ne lui avait pas demandé de permission, ne la remercia pas non plus. Non! Il s'était servi. Sûrement dans le but d'attirer son attention. Elle pensait connaître tous les manèges des hommes, mais celui-ci était nouveau. S'il pensait avoir trouvé là un moyen d'engager la conversation, il se trompait. Elle se jura de ne réagir d'aucune façon. On a beau se dire qu'on va rester imperturbable, ce ne lui fut pas facile quand elle le vit se servir un plus gros morceau encore. Non! se dit-elle. Tais-toi! Ne fais semblant de rien, il serait trop content.

Le potage refroidissait, elle mangea ce qui restait plutôt nerveusement. Trop vite, ma foi! Et trop vite aussi se servit-elle un morceau de chocolat en regardant le garçon d'un air détaché, mais ferme, comme pour lui dire: «Mon bonhomme, ceci m'appartient et garde tes mains sales loin de ma propriété.»

Elle aurait juré qu'il avait l'air un peu moqueur – un air qui lui déplut en tout cas, et elle revint à son journal. Mais son journal l'agaçait. Elle le mit de côté, se reprit du chocolat, ouvrit son livre et s'y plongea en grignotant le *donut*. À ce moment-là, un autre client arriva dans le restaurant et vint droit à la table voisine en s'écriant:

— Marcel Dupont! Depuis le temps que je t'ai vu!

Ils se serrèrent la main. Marcel proposa à son ami de s'asseoir avec lui. Mais l'ami attendait quelqu'un. Ils causèrent donc de toutes sortes de choses en l'attendant. Elle apprit ainsi que Marcel venait de briser avec sa petite amie, parce qu'elle avait un tempérament de général d'armée, qu'elle voulait le mener par le bout du nez, etc. Il avait choisi de la laisser à ses courses automobiles et à ses après-midi de sauts en parachute.

— Hein?

— Eh oui. Tel que tu me vois. J'ai passé à travers tout ça et maintenant, je mange calmement ici, à l'abri des femmes, tous les jours de la semaine et toujours à la même table!

Elle apprit aussi que Marcel ne faisait pratiquement plus de sport, trop occupé qu'il était par ses affaires. Oui, ses affaires allaient bien. Il ne jouait plus qu'au tennis une fois par semaine, mais jouerait bien une deuxième fois, s'il trouvait un partenaire.

— Si ça te tente, appelle-moi! Mon numéro de téléphone est facile à retenir: 669-69-69.

— Tu blagues...

— Que je te dis!

Ils s'esclaffèrent.

— Tout un programme, hein? renchérit Marcel.

Les goujats! se dit-elle. Comme si je n'étais pas là, comme si je ne pouvais pas entendre et comprendre!

Elle entendait et comprenait si bien que depuis l'arrivée de l'ami elle avait tourné trois pages sans avoir lu une ligne.

— Veux-tu un peu de chocolat? proposa Marcel.

Elle faillit bondir.

En guise de réponse, l'ami se contenta de sortir une tablette identique de sa poche. Un gamin lui en avait aussi vendu une.

De peur d'avoir rougi ou pâli, Liette se regarda dans le panneau de miroir de l'autre côté de la salle. Ne constatant rien de précis, elle décida d'utiliser plutôt la glace de son sac à main. Non! Tout paraissait normal de ce côté-là. L'amie de l'ami étant arrivée, il quitta Marcel et prit une table avec elle.

Pour se calmer les nerfs, Liette se servit un large morceau de chocolat et Marcel aussi. Ils se regardèrent, elle, furibarde; lui, avec l'air de s'amuser prodigieusement.

Ah! Si elle avait été un homme, ce qu'il aurait reçu! Quand donc les femmes se débarrasseront-elles de ces monstres de suffisance et d'égoïsme, qui se croient tout permis, qui pensent qu'on leur doit tout. Elle fumait. Un morceau de *donut* restait, elle le mangea rapidement, goûta à peine l'excellent café, finit ce qui restait de chocolat, ramassa toutes ses choses et se leva sans même un regard vers Marcel. Ah! Celui-là, elle s'en souviendrait!

Comme elle se dirigeait vers la sortie, elle jeta pourtant un dernier coup d'oeil dans le miroir pour bien graver la tête de cet infâme voisin dans sa mémoire.

Il la regardait sortir avec un air si amusé qu'elle se figea.

Ah! L'animal!

Faisant volte-face, elle se dirigea droit vers lui, saisit le *donut* qu'une serveuse venait de lui apporter, y planta largement les dents, remit ce qui restait dans l'assiette, regarda Marcel d'un air vengeur et retourna d'un talon incisif vers la porte.

Ah! cette bouchée! Elle avait un goût de framboise, de vengeance, de victoire, quel goût! Un goût qui donne envie d'y revenir. Elle résista pourtant à cette tentation et sourit à la pensée de ce qui venait d'arriver.

Il ne pleuvait plus. On aurait dit que le soleil allait paraître. Arrivée à sa voiture, elle chercha sa clef dans ses poches d'imperméable. Rien! Dans le fourre-tout. Là non plus. Voyons! L'aurait-elle laissée au restaurant, sur la table? Lui faudrait-il de nouveau affronter cet Apollon farci de lui-même? Pourtant, c'était bien dans le fourre-tout qu'elle l'avait mise. Elle l'y chercha encore. Rien. Oh! Le sac à main! Là, enfin parmi les portraits de famille, elle mit la main dessus, ouvrit la portière et que vit-elle sur la banquette? Sa tablette de chocolat.

. . . .

. . . . et ils eurent de nombreux enfants.

Nuits 1002, ...3, 4 et 5

Un jeune homme poussa fièvreusement la porte d'une chambre sordide où, sur une table basse, une flamme éclairait une boule brunâtre et une pipe. Fébrile, il se débarrassa de son veston, dénoua cravate et ceinture, enleva ses souliers et, ayant piqué la boule d'un stylet, la maintint au-dessus de la flamme. Dès qu'il l'entendit grésiller, il en bourra la pipe et, tremblant d'anticipation, s'allongea sur une natte.

— Fumée! supplia-t-il en inhalant profondément sa drogue, libère-moi de la grisaille et des rengaines! Taris l'amertume qui baigne mes pensées! Par les boulevards effrayants de lumières et les ruelles souillées d'ordures, je n'ai rencontré que mains poisseuses et bêtes apeurées, bois vermoulu, murs lépreux, portes cruelles et grilles décevantes. Je n'ai pas entendu les réponses aux questions que je posais; volontés indéterminées et désirs inassouvis me font craindre l'inconnu. J'ai le vertige et n'atteins pas le fond de ma solitude. Plus de douceur, plus de gaieté! Lueurs blafardes. Mollesse, immobilité; paix, sérénité.

Sous l'effet de la fumée, la face tendue de l'homme s'était éclairée d'une joie résignée, puis béate; il rêvait mais ne dormait pas; songeait sans penser. Il percevait. Le calme anéantissait son corps.

Dans le silence exaltant qui l'enveloppait, la flamme de la lampe vacilla, grandit, éblouit et, se parant d'un feuillage aussi frais qu'une mousse au printemps, prit la forme d'un gnome.

— Tu es là? demanda le fumeur sans tourner la tête.

— Oui, Félix, c'est moi, ton ami, répondit le monstre, la bouche tordue sous un fouillis de tiges claires.

— Pourquoi te dis-tu de mes amis? protesta Félix. Je te connais à peine. Retire-toi. Laisse-moi rêver en paix avant de rejoindre Monette.

— Ne te hâte pas! Si elle savait le bonheur que tu trouves chez moi, elle t'attendrait patiemment.

— Et ma table de travail?...

— De grâce, ne me parle ni de Monette, ni de travail, alors que je te propose la fuite des êtres et des sentiments qui t'enchaînent!

— Tu as raison. Je la verrai plus tard. Je travaillerai après...

— Ne laisse pas les souvenirs gâcher ton euphorie. Monette veut être aimée, et non pas subie. Le travail attendra. Regarde plutôt ce que je t'offre aujourd'hui!

À ces mots, les murs de la chambre perdirent leur opacité; et, de sa natte devenue impalpable, le fumeur découvrit une baie dont la mer et le ciel étaient pervenche.

— Où suis-je? demanda-t-il, transporté par ce décor voluptueux.

— À Céléterre, carrefour des illusions, lui répondit le gnome dont le feuillage bruissait joliment. Au flanc de la montagne qui surplombe cette vallée, était autrefois un colosse d'airain sur un trône de rubis; une barbe de mousse entremêlée de gui tombait sur ses genoux; ses mains jointes creusaient dans sa robe des plis qui...

— Gnome, tes descriptions pompeuses m'ennuient.

— Souriant sans cesse, poursuivit le monstre en avançant un pied fourchu sur la table, il promettait le bonheur à qui voulait l'entendre. Mais, sous son masque de bonté, il se jouait des espoirs, car son regard embué guidait les hommes vers un leurre. Regarde le large! Le leurre y est toujours, sculpté dans une opale. Le vois-tu bien?

Félix apercevait en effet sur un socle d'onyx une statue que le jour animait de teintes troublantes.

— Callirrhoé! murmura-t-il. Je vois aussi Pontacha, le colosse d'airain dont tu me parlais.

— Pontacha était si méchant, précisa le gnome, qu'on en avait fait un dieu. Fort de la crédulité humaine, il proclamait les charmes de Callirrhoé. «Sa vue seule vous comblera», disait-il. «Vous aurez le bonheur pour l'éternité, si seulement vous parvenez jusqu'à elle. Voyez comme la distance est courte!» Depuis, les hommes tentent de l'atteindre; jeunes et vieux, pauvres et riches accourent à sa conquête. Écoute plutôt l'histoire de Tanakhan. Si vieille soit-elle, son souvenir flotte encore sur la baie. Il venait des montagnes les plus hautes du globe; la Chine et l'Inde lui avaient fourni les femmes les plus belles; de la Perse et de l'Afghanistan il écumait des tributs. Pourtant, il convoitait Callirrhoé.

Alors, la voix rauque du gnome se tut. Dans la baie, des antilopes qui paissaient sous des arbres s'enfuirent sans presque toucher le sol et, pendant un moment, rien ne bougea. Mais bientôt, Félix entendit des cris d'hommes et des sons étranges; de grands chariots attelés de yacks lui apparurent; et lui parvinrent les senteurs suaves des mimosas et des tamaris que roues et sabots écrasaient sur leur passage. Enfin, les voyageurs s'étant arrêtés devant le colosse lui annoncèrent l'arrivée prochaine de Tanakhan, leur maître, et, leur message transmis, immolèrent leurs yacks – car, dans la certitude où il était de sa réussite, celui-ci en avait ainsi décidé. Puis, ils enfermèrent les tigres et les éléphants dont ils s'accompagnaient, dressèrent des tentes, préparèrent des plateaux de victuailles, allumèrent des brasiers et s'allongèrent enfin, tremblants d'avoir omis quelque détail.

Ils commençaient à peine à reposer que Tanakhan parut à son tour, torse et pieds nus, jambes gainées de peau. Indifférent aux préparatifs de ses gens, il tournait obstinément les yeux vers le large; mais la réverbération l'empêchant d'y voir Callirrhoé, il se rendit plutôt demander à Pontacha où la trouver. Hélas, le regard opaque du dieu ne s'éclaira pas et le voyageur, déçu, se retira en disant:

— Je séjournerai au sommet de cette montagne. C'est le seul endroit où reposer.

Quand sa tente de drap d'or y fut plantée, il monta sans inviter quiconque à le suivre, attacha son cheval à un citronnier et s'étendit sur des fourrures. Il regardait distraitement le soir descendre, lorsqu'au milieu de la baie, une silhouette se profila enfin dans les rayons obliques du soleil: Callirrhoé! Des perroquets blancs et verts volaient au-dessus de sa tête; autour d'elle, des grenouilles crachaient des diamants et des émeraudes qui roulaient dans l'eau sombre contre des éclats de lapis-lazuli. Il ne s'était pas déplacé en vain, la déesse était là. Transporté de joie, il aurait voulu la mieux voir, la toucher aussitôt, mais la baie l'en séparait encore. Aussi, impatient de franchir ce dernier obstacle et répugnant à partager le bonheur que Pontacha lui avait promis, il regarda vivement autour de lui pour se convaincre qu'il était le seul témoin de cette vision, et se rassura.

En bas, les esclaves offraient aux voyageurs des grappes de raisins sur des feuilles de palmiers ou citrouilles, melons, cédrats et bananes sur des plateaux de bois peint; les officiers, ravis de bivouaquer dans ce site enchanteur, jouaient aux dés ou buvaient; certains rejoignaient leur harem.

Pendant que le maitre anticipait la suprême félicité, Ranayka, sa favorite, à peine sortie d'un bain parfumé, se préparait à se rendre chez lui. Durant leur long voyage, elle avait vainement brillé pour lui. Mais, sachant que personne ne l'avait supplantée et ne devinant pas le drame qui habitait le coeur et l'esprit de Tanakhan, elle tendait ses ongles à polir; des suivantes chargeaient ses paupières de tant de khôl qu'elle les ouvrait difficilement, d'autres appliquaient minutieusement sur sa peau une poudre de nacre dans laquelle un eunuque avait broyé des grenats. Quand enfin on l'eut drapée de mousselines piquées de perles roses et qu'on lui eut passé aux pieds des sandales de cristal, elle se contempla dans un disque d'argent poli et demanda ses porteurs.

Sur son passage, les autres concubines murmuraient:

— A-t-elle été mandée chez Tanakhan? Son héraut est-il allé la quérir? L'as-tu vu passer?

Aux réponses négatives qu'elles se firent, leur curiosité s'accrut; car, depuis le début du voyage, Ranayka était restée, comme elles, mêlée au troupeau des oubliées.

Les porteurs l'ayant déposée à quelque distance de la tente précieuse entre toutes, les suivantes jonchèrent d'orchidées le sol qui l'en séparait; et elle avança, seule.

Depuis la seconde où Callirrhoé lui était apparue, Tanakhan ne l'avait plus quittée des yeux. Sans qu'il y fît attention, les serviteurs avaient allumé un feu près de lui et apporté un plateau de fruits auquel il n'avait pas touché; sa favorite approchait, il ne la voyait pas davantage.

— Tanakhan! appela-t-elle doucement.

Il ne répondit pas.

— Tahakhan! répéta-t-elle, un sanglot dans la gorge.

Au lieu d'une réponse, elle n'entendait que le craquement des pétales sous ses pas hésitants et le cliquetis des perles dans ses voiles agités par le vent.

— Monseigneur, insista-t-elle, si grande était mon inquiétude que je suis venue jusqu'à toi.

Furieux d'être tiré de sa contemplation, il lui demanda enfin:

— De quel droit es-tu ici?

— Tu m'as dit, un jour, que je ne te lasserais jamais.

— Les femmes qui ont de la mémoire sont perdues. Va-t'en!

— Je t'aime.

— Et moi, je ne me souviens même plus de ton existence.

— Il est vrai que je n'existe plus, puisque rien de moi ne t'émeut plus, admit-elle humblement. Je pense à toi sans cesse et t'attends en vain, Tanakhan. Sais-tu seulement ce qu'est l'attente? As-tu jamais écouté les battements de ton coeur se succéder intarissablement et croître comme un tonnerre quand le désespoir le saisit? résonner comme un tocsin quand les minutes agonisent dans la rancoeur? haïr ce que tu persistes à vénérer? Je tremble depuis que ta pensée ne m'accompagne plus. Et pourtant je souris, de crainte que tu ne paraisses au moment où la déception noie mon amour. Mes yeux ne quittent plus la draperie qui ferme ma tente, dans l'espoir que ton bras la soulève comme autrefois. Je t'attends avec une telle intensité que j'entends les reflets de la lune se poser sur le pas de ma porte quand est passée la nue; je sursaute au glissement des corolles qui s'ouvrent à la rosée; mon coeur se serre au crissement de l'herbe que le soleil dessèche. Si tu n'as jamais attendu, Tanakhan, tu ne sais pas le prix de la vie.

— Ta pauvre personne te préoccupe-t-elle au point que tu ne puisses te servir de tes yeux?...

— Ma douleur limite ma vie à la tienne, et je ne vois que toi, répondit-elle.

— Ne vois-tu pas Callirrhoé?

— Détourne-t'en! car jamais amour ne fut plus fort que le mien.

— Comment peux-tu te comparer à la déesse? Regarde-la!

Comme elle lui obéissait, sans toutefois la voir, il poussa un cri qui se répercuta dans la montagne, car il venait de surprendre quelqu'un s'éloignant à larges brasses vers Callirrhoé.

Qui osait se permettre? De quelles ridicules prétentions ses gens abusaient-ils?

— Ramenez cet homme à la rive! commanda-t-il du haut de son poste d'observation.

Des plongeurs armés de dards qui s'étaient élancés sans tarder à sa poursuite revinrent avec un esclave tremblant de peur et de fatigue.

Que je ne le revoie plus! ordonna Tanakhan.

Conduit aussitôt contre le trône du colosse, on l'entoura d'une palissade à claire-voie. Alors, devinant de quelle façon il paierait son audace, il adjura tour à tour Tanakhan et Pontacha de le laisser repartir; mais seuls ceux qui ne pouvaient rien pour lui l'entendaient et s'approchaient dans l'intention évidente de se divertir du spectacle qu'on leur offrait – car on amena bientôt un tigre.

Libéré dans l'enceinte, le fauve flaira d'abord la victime geignante qui lui était proposée, puis, étant allé se coucher plus loin, la fixa de ses yeux candides. Après un temps d'immobilité qui parut interminable, il avança jusqu'à l'esclave, cligna et revint à sa place. Plusieurs fois il y retourna ainsi, comme pour jouer, jusqu'à ce qu'ennuyé il le frappât et qu'à la joie des spectateurs le sang jaillît enfin.

Poussé par la douleur et l'épouvante, le malheureux parvint alors à se hisser sur les genoux du dieu et s'y affaissa, se croyant hors d'atteinte. Mais, dès que sa respiration fut moins haletante, l'animal l'atteignit d'un bond qui souleva l'enthousiasme. À cette nouvelle attaque et dans un effort désespéré, l'homme, agrippant la barbe de Pontacha pour se hisser plus haut, clama:

— J'ai vu Callirrhoé, et je crois en toi, Pontacha. Aide-moi!

Mais la barbe s'effritait; et le tigre, lassé par cette inutile attente, croqua froidement les reins de l'esclave.

— Atroce! cria Ranayka, horrifiée. Tanakhan! tu poursuis une chimère. Cesse de piétiner tes amis et tes fidèles! Regarde-moi un seul instant, et je m'éloignerai à tout jamais, si tu l'exiges.

— Pars, et ne me dérange plus!

Alors, la femme tourna douloureusement la tête et, voyant à son tour Callirrhoé, ne douta plus de sa perte.

— Tanakhan! commença-t-elle, résignée. Mon bien-aimé!

En guise de réponse, il détacha un yatagan de sa ceinture et le lui jeta.

À cet ordre muet, elle saisit l'arme, s'en frappa et s'abattit devant lui qui, importuné par la vue de ce corps secoué de spasmes, la poussa du pied dans la pente.

Pendant que les concubines, témoins de ce spectacle, rentraient précipitamment chez elles pour se parer, convaincues que la mort de leur rivale leur permettait désormais tous les espoirs, un porteur, s'étant glissé vers le lieu d'où venaient les plaintes de sa maîtresse, la trouva retenue par ses voiles aux épines d'un rosier.

— Laisse-moi, lui dit-elle. N'encours pas le courroux de notre maître!

Sans l'écouter, il lui baisa les mains, lui apporta de l'eau et, désormais impuissant, attendit qu'elle rendît le dernier soupir.

Quand elle ne respira plus, il alla l'ensevelir sous un tumulus. Puis, revenu furtivement au camp, il libéra les bêtes qui, barrissant, mugissant et rugissant, piétinèrent, éventrèrent et dévorèrent les voyageurs et Tanakhan avec eux.

À peine le porteur s'était-il éloigné du carnage, qu'à pas feutrés, des tigres le rejoignirent et le dévorèrent à son tour. Alors seulement la baie retrouva sa calme beauté; les antilopes reparurent et cinq brebis y précédèrent un pâtre qui soufflait dans un pipeau.

— Atroce! Atroce! cria Félix, la main devant les yeux.

— Tu t'es bien diverti, n'est-ce pas? fit le gnome en lissant méthodiquement les feuilles de son corps.

— Comme tu as grossi! s'étonna le fumeur et ton feuillage est sombre, maintenant.

— Eh, oui! J'étais tendre et j'ai mûri.

— Alors, moi aussi? s'inquiéta le fumeur.

— Mais non, pas toi! Je subis ainsi des transformations que les années réparent, ne t'émeus pas inutilement.

— Tout de même! Mon travail m'attend, je dois partir. Et Monette...

— Tu t'agites de nouveau sans raison. Pense à toi!

— Que j'ai soif! geignit Félix en se levant péniblement. Je suis brisé et j'ai la nausée. Tu ne me reverras pas de sitôt. Adieu!

Poursuivi par le rire sceptique du monstre, le fumeur retrouva la rue. Mais, après y avoir traîné ses regards désabusés, la jugeant intolérable, il revint à la chambre où, sur une table basse, une petite lampe éclairait...

— Comme tu as tardé! s'exclama le gnome lorsque la fumée eut à nouveau dispensé au fumeur l'ivresse qu'il cherchait. C'est du masochisme. Tu aimes ma compagnie et t'obstines à la refuser. Je t'attendais impatiemment pour te dire l'histoire de Mélétoc.

— Ressemble-t-elle à celle que tu m'as déjà contée?

— Toutes mes histoires se ressemblent. Les personnages seuls diffèrent. Écoute plutôt!

Alors le gnome, s'étant recueilli un instant, commença:

— Mélétoc avait vingt ans lorsque le grand-prêtre le présenta au peuple; et, à la vue de ce corps dont la perfection attestait l'essence divine, la foule se prosterna.

Longtemps, l'adoration des fidèles ne se démentit pas: des points les plus reculés de la jungle, des vieillards chenus lui apportèrent en tremblant des roseaux remplis de poudre d'or, fruit du travail de toute leur vie et, courtois, s'en retournèrent vers leurs misérables huttes, sans qu'il leur fît l'aumône d'un merci; dès que la puberté arrondissait la poitrine de leurs filles, les mères les lui conduisaient; des souverains vaincus assuraient son service; et, tous les jours, des enfants et des adolescents étaient immolés à sa gloire.

Il vécut donc sans désirs jusqu'au jour où le grand-prêtre, ayant brusquement quitté l'autel des sacrifices rituels, lui présenta un coeur palpitant en disant:

— Dans ce coeur, j'ai lu un présage que tu ne peux ignorer.

— Explique-toi! lui ordonna Mélétoc.

— Tout à l'heure, au faîte de la pyramide, me sont parvenus les cris de ce garçon de quinze ans qui, à l'encontre des autres qui montent impassibles au sacrifice, réclamait de vivre pour se rendre là où se trouve le bonheur.

— Mais le bonheur est ici! protesta Mélétoc.

Évidemment, le grand-prêtre divaguait, et il le retourna à ses sacrifices.

Pourtant, malgré sa négation, l'inquiétude s'était infiltrée dans son esprit: sans doute, le tissu de son vêtement que dix mille femmes avaient filé avec la soie des araignées était-il admirable; les adolescentes qui partageaient sa couche étaient voluptueuses; il ne dégustait que les plats les plus délicatement parfumés et ses yeux ne se posaient que sur la beauté. Mais, à la réflexion, il admit que peut-être il existait un pays plus favorisé que le sien, où des plaisirs plus violents alternaient sans lassitude avec des moments de détente plus raffinée. Cependant, il resta ancré dans ses habitudes jusqu'à ce que le grand-prêtre reparût en disant:

— Le jeune homme que nous allions immoler aujourd'hui a proféré tant d'imprécations à ton adresse que nous dûmes l'emmurer. Pendant qu'on scellait les dernières pierres devant lui, il répétait un nom: «Callirrhoé! Callirrhoé!» Et son visage réflétait une extase indescriptible.

— Que disent les augures? demanda Mélétoc.

— Ils affirment qu'en effet, dans la baie Céléterre, vit la déesse Callirrhoé qui récompense d'une éternelle félicité celui qui va vers elle.

Sachant que les devins ne mentent pas et que la précision de ces renseignements rendait le doute impossible, Mélétoc resta songeur. D'ailleurs, les rapports multipliés de son ministre indiquant aussi que le royaume entier découvrait l'existence de Callirrhoé et que de plus en plus de jeunes gens fuyaient le pays vers elle, il mit un terme à son extrême perplexité en informant le grand-prêtre de la décision suivante:

— Puisque tant de mes sujets songent à me quitter pour se rendre à Céléterre, mon devoir est de les y conduire. Si mon peuple aspire au bonheur, je dois entreprendre ce voyage avec lui.

Stupéfait de cette inhabituelle générosité, le grand-prêtre soupçonna son maître d'un motif moins noble:

— Songerais-tu vraiment à t'éloigner de ces plaines admirables de fertilité? lui demanda-t-il. Comment renoncerais-tu aux ressources de vingt royaumes pour le plus incertain des inconnus?

Pendant qu'il réfléchissait à cette mise en garde, une escouade de soldats passèrent, enveloppés de riches couvertures retombant sur leurs pantalons brodés; des jeunes filles rieuses déambulèrent, le nez plongé dans des bouquets d'anémones; des esclaves disparurent avec les chasse-mouches devenus inutiles, et, sensible à la poésie de leurs mouvements dans ce crépuscule, il différa la réalisation de son projet.

Quand le désir lui revint de partir, et qu'il s'en entretint avec le grand-prêtre, celui-ci lui rappela que dans le royaume des milliers de marchands lui procuraient plumes, coton filé, fourrures, bois odorants, miel, herbes médicinales, maïs, fruits capiteux... ce qu'il désirait.

— Craindrais-tu le voyage? s'impatienta Mélétoc, à la fin. Si tu te sens trop âgé pour l'entreprendre, le ministre m'accompagnera.

Alors, des larmes mouillèrent les yeux du grand-prêtre, et ses lèvres tremblèrent.

— Né dans ce palais, répondit-il, ma seule crainte est de ne pas donner ma vie pour ton service et ta gloire.

— Vos intelligences ne peuvent concevoir que le bonheur des humains, lui dit Mélétoc. Mais, dieu, j'aspire à celui des dieux.

À bout d'arguments, le grand-prêtre contrit mais obstiné, risqua encore mollement:

— Si cette histoire n'était qu'un leurre, et que tu n'atteignais jamais Célèterre...

— Si nous y arrivons, rétorqua Mélétoc, je t'immolerai à Pontacha, gardien de la déesse. Toi, que la pureté destinait à offrir tant d'adolescents aux dieux, tu admettras que je n'ai pas de plus précieuse victime à lui sacrifier pour accéder à Callirrhoé.

Ainsi forcé de s'incliner, le grand-prêtre partit avec son maître et la fleur du peuple sur la route de la redoutable baie.

Après plusieurs mois de voyage, une maladie inconnue frappa d'abord les femmes: gencives gonflées jusqu'à obstruer la bouche, elles succombaient asphyxiées – sans toutefois ralentir la marche de l'expédition, puisqu'aux premiers symptômes du mal on les abandonnait sans rien tenter pour les soulager. Mais, ce faisant, le nombre des tisseuses que le travail n'avait pas encore aveuglées diminua si vite qu'elles ne suffirent plus à vêtir le dieu de ses tuniques fragiles; et les dernières vierges s'éteignirent, drame qui, contraignant le maître à jouir une seconde fois de la même femme, n'eut pas davantage raison de son entêtement car, obsédé par la poursuite du bonheur, il ne réclama personne. Ensuite furent atteints ceux qui tiraient son char: la mort les coucha sans qu'ils aient su à quel joug étaient fixés les cordages qu'on leur avait mis en main.

Bien que le grand-prêtre lui dépeignît fidèlement cette alarmante situation, Mélétoc restait convaincu que ces constatations cachaient les desseins d'un vieillard pessimiste, las du voyage et souhaitant retrouver ses habitudes au pays natal. Les serviteurs n'exécutaient-ils pas ponctuellement ses ordres? Chaque soir, des adolescentes n'évoluaient-elles pas autour de sa tente? La mousse fine sur laquelle il couchait n'arrivait-elle pas régulièrement des lointaines terres humides pour dispenser la fraîcheur à son sommeil?

Moins fasciné par le but ultime de son voyage, il aurait admis que l'allure de son char ralentissait, que des figures nouvelles étaient apparues dans son service et que les jeunes filles de son entourage n'avaient plus cette grâce qu'il admirait dans son palais; mais il s'obstinait à nier l'existence même de l'épidémie.

Entre temps, la chaleur s'était faite si oppressante que l'eau manqua; et la soif, joignant ses affres à celles de la maladie, diminua si vite le nombre des voyageurs que le grand-prêtre ne procéda plus qu'à un seul sacrifice par semaine. Pourtant, chaque fois qu'il en revenait, réitérant à Mélétoc les conseils de prudence qu'il lisait dans le coeur des victimes, il recevait ces ordres inflexibles:

— Continuons! Plus vite!

Il persista si bien qu'un jour les haleurs aperçurent enfin Pontacha.

Alors, le gnome se tut, et ce furent les cris des voyageurs qu'entendit Félix. La tête appuyée sur le rouleau de paille qui lui servait de traversin, il les voyait approcher du colosse d'airain en fracassant la végétation sur son passage, car celle-ci s'était vitrifiée: détachée de la fleur, les pétales, au lieu de se poser sur le sol, y éclataient en miettes; les feuilles miraient comme des cristaux de verdure; les troncs étaient transparents; chaque pas soulevait une poussière que le soleil irisait; le vent ne bruissait pas dans le feuillage, il sifflait.

Indifférent à cette nature irréelle qui comblait les aspirations passionnées de ses sujets, Mélétoc monta sur un escarpement d'où sa vue embrassait la baie entière et, pointant un doigt accusateur vers le grand-prêtre, lui dit d'une voix implacable:

— Te souviens-tu de ma promesse?

— Oui... que tu m'immolerais si... répondit le grand-prêtre, rouge comme le crime.

— Ta mémoire est fidèle, et je tiendrai parole; ma justice sera sans défaillance. N'ayant pas hésité à détourner mon peuple de la félicité, tu as perdu le droit de couler ici les jours sereins qui désormais seront nôtres.

— Si la déesse Callirrhoé t'apporte vraiment le bonheur, je ne suis pas digne de le partager, admit le vieillard.

Alors, Mélétoc esquissa un geste qu'il n'acheva pas, car il avait aperçu la déesse que les reflets du soleil sur les flots emprisonnaient de mailles lumineuses. Contre l'opale de son corps sautaient des poissons multicolores et fleurissaient des buissons d'algues.

À ce spectacle, pris d'un violent besoin de régler promptement le sort de son grand-prêtre, il ordonna à ses séides:

Allez! dites à Pontacha que je lui offre le sang d'un homme dont les cheveux ont blanchi à mon service!

— Maître! dit encore celui-ci, je ne crains pas la mort, mais je tremble pour toi. Tu abandonnes des dieux couverts de sang chaud pour te soumettre à un colosse reposant sur des pieds de rubis. Prends garde! Observe cette vallée qui ne dégage que sécheresse et désespérance. Depuis des mois, nous ne trouvons plus d'eau qui ne soit saumâtre. Certes, nous avons atteint Pontacha, mais pas encore le bonheur. Il n'est pas trop tard. Abandonne cette chimère et rentre au pays! Toi, le maître des quelques moments qu'il me reste, je t'adjure de concevoir la félicité ailleurs que dans ce lieu où je ne vois pas celle qui devait t'y attendre.

— Elle est là! Regarde-la! dit Mélétoc en tendant une main pathétique vers Callirrhoé.

Le grand-prêtre, qui ne la voyait pas, crut que la raison de son maître s'égarait et, repu d'amertume, comprit que sa survie n'empêcherait rien. Alors, prenant le couteau d'obsidienne qui pendait à sa ceinture, il le tendit à un garde en disant:

— Frappe-m'en!

Touché à mort, il s'affaissa sur son sang; et le garde jeta l'arme rougie aux pieds de Mélétoc... qui ne le vit pas. Les yeux tournés vers le large, rien de ce qui l'entourait ne troublait plus sa contemplation: il ne s'apercevait même pas que sa couche abritait des serpents et que le moindre de ses gestes en libérait trente, cinquante, réfugiés dans la fraîcheur de la mousse. On l'eut dit divinité des reptiles. Pour lui, seule comptait Callirrhoé aux pieds de qui il voyait une place aussi proche qu'inaccessible, puisqu'aucun moyen ne lui permettait encore de franchir cette ultime étape.

À l'époque de leurs amours, des poissons dorés frayèrent quelques jours dans la baie et se dispersèrent; puis, il en vint des bleus, moins frétillants, qui ne s'attardèrent pas davatage; enfin, des gros parurent, lourds et pâmés, s'agglutinant les uns aux autres dans le liquide visqueux qu'ils sécrétaient et formant un pont vivant depuis la rive jusqu'à la déesse.

Alors, sans tarder, Mélétoc en haillons se fit casquer de plumes éclatantes et, grandiloquent, descendit vers la rive entre deux haies de sujets consternés qui, n'osant lever les yeux, entendaient s'éloigner le frôlement de ses pieds contre les délicats tapis qu'ils avaient étendus sur son passage. Il avança ainsi sur le banc gluant sans d'abord laisser de traces, puis, le marquant d'empreintes de plus en plus profondes, car, la saison de leurs amours terminée, les poissons se séparaient. Le jour n'était pas tombé qu'il sombrait, indifférent au sort du peuple qui le suivait, implorant en vain son secours, celui de Pontacha, de Callirrhoé, du grand-prêtre immolé, de tous ceux qui s'étaient arrogé le droit de le guider.

À peine étaient-ils engloutis qu'une violente tempête s'éleva, rejetant les corps sur la grève, réduisant la végétation en fines aiguilles de verre et libérant les araignées qui recouvrirent bientôt la baie d'une toile aussi légère qu'une brume.

Sorti brusquement de son rêve et conscient de sa solitude, le fumeur appela:

— Au secours! À moi!

— Pourquoi crier si fort? lui demanda le gnome. Un simple geste me rappelle. Ne crains rien, je suis là.

— Je demande du secours et tu ne m'offres que ta présence.

— Que puis-je faire de mieux que de t'amuser?

— M'amuser? en me montrant des scènes terrifiantes?

— De quelles scènes parles-tu? Les êtres de mon espèces n'ont aucune mémoire. Je vois des antilopes broutant dans une baie merveilleuse...

En effet, le paysage étant redevenu idyllique, on imaginait mal qu'un drame s'y fût passé.

— Ne t'ai-je pas fait oublier pendant un moment la vie que tu dis subir comme un supplice? reprit le gnome dont le feuillage était devenu rutilant.

— Tu devrais m'aider à la vivre, pas à la fuir.

— Mon destin est d'accompagner ceux qui fuient.

— Alors, accompagne qui tu voudras, mais moi, je retourne sur mes pas. Salut!

— Tu reviendras, oui?

— Peut-être, répondit-il en le quittant.

— Mais oui, tu reviendras, insista le gnome. Je t'attends. Compte sur moi! je ne te faillirai point. Et, convaincs Monette de t'accompagner, la prochaine fois.

Félix parti, la lampe continua de brûler, comme pour rassurer ceux qu'effraient les ténèbres. Et le fumeur, irrésistiblement attiré, y revint dès sa première déception.

— Enfin, tu es plus raisonnable, Félix, lui dit le gnome. Tu t'obstines moins longtemps à te refuser ma compagnie, et je t'en sais gré; car, seul, je me sens inutile.

Vaincu, Félix était revenu, comme il aurait marché à la mort, amaigri, courbé, l'oeil hébété, se tenant à lui-même de vagues propos. Cette fois, après une pipe, il en fuma d'autres, ce qui mit le gnome en joie.

— Voilà qui mérite une récompense, décréta-t-il.

— Je ne désire que cela. Vite! Raconte-moi une nouvelle histoire! De grâce, transporte-moi encore dans la baie Céléterre!

— Le moment est bien choisi de me le demander. Il s'y passe des événements extraordinaires. Regarde! Fukimo arrive.

Malgré sa détermination, les murs de la chambre demeuraient opaques au fumeur; il ne voyait rien.

— C'est que tu n'as pas encore assez fumé, lui expliqua le gnome.

— Je m'en doutais, admit Félix. Mais plus j'ai fumé, plus j'ai soif et plus j'ai mal. Le thé que je prends ne me désaltère plus et rien ne calme plus les douleurs qui naissent par tout mon corps.

— Félix, seule la fumée te fera oublier le mal et la soif. Crois-moi!

— Je me demande parfois si j'ai raison de t'écouter, mais à qui me fierais-je maintenant, sinon à toi?

Il fuma donc de nouveau et, cette fois, les murs ne l'empêchèrent plus d'apercevoir dans la vallée une multitude de porteurs, terrassiers et menuisiers qui, arrivés au pas de course, se mettaient fébrilement à l'oeuvre, «n'ayant pas un instant à perdre», affirmaient-ils. En effet, presque aussitôt, en un interminable cortège, apparurent des enfants conduisant des chèvres qui broutaient seulement au lever du jour, afin que ne fût pas dénaturé le goût de leur lait; des éléphants centenaires transportant cerisiers, pêchers et citronniers chargés de fruits mûrs; des géants courbés sous le poids de viviers pleins de poissons gras ou de cages abritant les animaux et les oiseaux dont la chair délectait leur maître; des chameaux traînant une jonque d'acajou laqué; et, enfin, entouré de dragons couverts d'écailles de jade, le maître, lui-même.

Fukimo se prosterna huit fois à des distances différentes devant le colosse de la baie, tandis que des valets vêtus de pagnes de lin fin disposaient derrière lui ses offrandes de voyageur: porcelaines transparentes, brûle-parfums, sept roses rouges dans une coupe de cristal et une corbeille de paille odorante d'où sautèrent trois chatons bleus.

Cette cérémonie terminée, il se fit conduire à une maison décorée de clochettes qui tintaient au souffle le plus léger, et de paravents sur lesquels étaient peints les hauts faits de ses ancêtres. Quand il s'y fut allongé sur une couche moelleuse, il aperçut Callirrhoé, plus séduisante qu'une promesse.

— Fukimo! Prince! dit le grand chambellan à ses côtés. Tes hommes désirent célébrer leur arrivée à Céléterre.

— Distribue-leur du vin à satiété.

— Ils seront bruyants...

D'un haussement d'épaules, il mit fin à cette conversation qui l'ennuyait. Maintenant qu'il voyait Callirrhoé, que lui importaient les danses de paysans, de saltimbanques et de femmes autour d'un feu, même si les flammes devaient lécher leurs bras?

Pendant que la montagne répercutait leurs rythmes et leurs chansons, un cavalier traversa la foule et se dirigea vers la demeure de Fukimo.

— Maître! lui dit-il après une révérence peu en harmonie avec ses allures martiales.

— Mon vaillant Béoko! Quel motif t'amène?

— T'entendre dire s'il est vrai que tu nous abandonnes.

— Oui, demain, avant la tombée du soir. Je serai dans l'île où Callirrhoé m'attend.

— Je ne t'ai jamais quitté, maître; nous avons toujours combattu côte à côte, nous voulions le bonheur et nous y travaillions ensemble, pourquoi m'écarter maintenant de ta vie?

— Regarde et comprend! dit Fukimo, en lui désignant Callirrhoé. Mais, puisque tu es là, suis-moi! ajouta-t-il en se ravisant.

— J'ai mère, femmes et fils...

— Quitte-les!

— Peut-être pourraient-ils nous accompagner?

— Non, car eux aussi voudront emmener leur parenté

car eux aussi voudront emmener leur parenté.

— Allons-y tous! Partageons notre bonheur! répliqua Béoko avec véhémence.

— L'île est si exiguë qu'il n'y a place que pour moi et ton dévouement.

Incapable de sacrifier les siens, Béoko baissa la tête et se retira.

Au matin, la houle agitant dangereusement la mer, Béoko reparut devant son maître en disant d'une voix nuancée d'espoir:

— Ton départ est impossible. Promets-moi de le différer tant que n'aura pas cessé le tintement assourdissant de ces clochettes.

— Dois-je régler mes mouvements sur le temps qu'il fait? Oublies-tu que soleil et pluie ne sont jamais intervenus dans mes décisions? Ce n'est pas un aquilon qui changera mes projets. J'ai déjà donné l'ordre du départ; mes dragons me protégeront contre les monstres marins et, dans une heure, je serai dans l'île, heureux pour toujours.

Béoko, incliné, secoua tristement la tête:

— Alors, que ferons-nous des pays sur lesquels tu règnes? dit-il.

— Que m'importe, puisque je pars.

Cependant, les intimes, courtisans et concubines s'étaient aussi approchés pour lui présenter leurs hommages et recueillir quelques ultimes recommandations.

— Tes fidèles sont là, insista Béoko. Fais-leur connaître tes volontés.

Dans sa hâte d'appareiller, Fukimo leur tourna le dos et, prenant précipitamment place dans sa litière, ordonna qu'on le conduisît à l'embarcation qui l'attendait; car, depuis l'apparition de la déesse, les sentiments humains étaient dépourvus de sens pour lui. Les yeux grands d'espoir, un sourire extatique aux lèvres, insensible au déchaînement des éléments, un dévorant appétit de bonheur l'habitait. Sur son passage, les mimosas courbés par la tornade chargeaient l'air de pétales parfumés et colorés, les rapaces terrassés agitaient çà et là leurs ailes impuissantes, les flots roulaient des rochers écroulés et des algues déracinées, mais il ne les voyait pas. Rien ne retenait le prince dans un monde où l'adoration des peuples n'avait pu le combler.

— As-tu changé d'avis, Béoko? s'enquit-il une fois au bateau.

Craignant que sa voix ne trahît son désarroi à la pensée que ni leur amitié ni leur considération réciproque ne les liaient plus, Béoko secoua la tête en disant:

— Je ne saurais être heureux sans les miens.

— Libérez les dragons! commanda alors Fukimo sans s'attarder aux sentimentalités de son ami. Et fouettez ces esclaves qui osent se plaindre de leur sort, alors que je les destine à me concilier les héros protecteurs!

Pendant qu'on embarquait les victimes et qu'on les fouettait pour rétablir le silence, le capitaine s'approcha timidement du prince et lui demanda sur quel point il mettrait le cap, advenant une meilleure visibilité.

— Largue d'abord! hurla celui-ci d'une voix courroucée. Tu sauras ensuite où nous allons.

Malgré sa frayeur, le capitaine donna donc des ordres à cet effet et, pendant qu'on étendait sur les genoux de Fukimo une couverture plus légère que le souffle d'un nouveau-né, le vent éloigna l'embarcation qu'entouraient les dragons attirés par les esclaves qu'on leur jetait par-dessus bord.

De la plage on voyait encore luire leurs écailles vertes que les serviteurs se précipitèrent sur les trésors du maître et que ses intimes, vidant leurs querelles, se partagèrent le harem à coups d'épée qui firent plus de cadavres qu'il n'y avait de femmes. La pluie de pétales continua de tomber si drue qu'elle ensevelit les survivants de l'hécatombe et la jonque rose courut les mers, toutes voiles dehors sans jamais accoster, tandis que les dragons, privés de leur nourriture vivante, se muaient en caïmans, puis en iguanes et en lézards avant d'atteindre Callirrhoé sous forme de caméléons qui coururent comme des ombres sur l'opale de la déesse.

Alors, un sardonique éclat de rire secoua la montagne: Pontacha s'était diverti.

Éveillé par les échos de ce rire cruel qui le poursuivaient jusque dans la lucidité, le fumeur frissonna. Il ne se révoltait pas, n'appelait pas; désabusé, sans plus d'illusions, des larmes glissaient sur ses joues. Péniblement il se redressa, passa une main décharnée sur son front, comme pour chasser les images qui le troublaient encore, mais ne se leva pas.

— Pourtant, il faut que je parte! murmura-t-il. Sinon, j'aurai raté ma vie. J'ai du travail; et Monette m'attend. Je veux la revoir; je veux accomplir quelque chose; je veux...

— Plus tard, fit le gnome, doucereux. Attends un peu. J'ai d'autres histoires pour toi.

— Tu es blanc, maintenant! s'étonna Félix dans un mouvement de recul.

Le gnome était blanc et courbé sur une canne qui lui était poussée à la main gauche.

— La vie m'a transformé ainsi, admit-il cette fois. Mais pourquoi cette répulsion soudaine? Ne te suis-je pas fidèle?

— Si tu l'es vraiment, soulève-moi de cette couche, ouvre-moi la porte et aide-moi à sortir. Seul, je ne le pourrais pas, je n'en puis plus.

— Tu vois bien que je suis trop frêle et fragile pour t'aider jusqu'à la rue, protesta le gnome. Et qu'y ferais-tu?

— Aide-moi, je t'en supplie. Je veux revoir...

— Tu divagues et te répètes. Aussitôt dans la rue, tu voudras rentrer ici. Monette t'attendra; tu sais comme elle t'aime. Elle te l'a prouvé. Écoute cette dernière histoire et tu t'en iras. Prends d'abord ceci!

C'était la pipe, et le fumeur ne la repoussa pas. Il n'avait plus que la force de la saisir.

— Comme il fait bon! constata Félix profondément satisfait. Si seulement je pouvais rester seul ici, sans les personnages qui hantent ces lieux et mes rêves.

— Égoïste! protesta le monstre. Pourquoi ne partagerais-tu pas les plaisirs et les beautés?

— Mais c'est moi qui les ai découverts!

— Nous croyons tous les avoir découverts. Mais d'autres que toi les ont cherchés puisqu'ils aboutissent aux pieds de Pontacha. Regarde celui-ci! C'est Gonfal. Pas plus que ses semblables, les richesses et les plaisirs ne lui suffisaient. Pourtant, incapable de vivre sans l'adoration de ses femmes, il a voyagé avec elles et les a comblées d'un luxe insolent: les unes l'ont suivi dans des voitures de jonc tirées par des autruches; d'autres ont attelé des licornes ou des biches; quelques-unes se sont laissées nonchalamment emmener au pas lent des aurochs; vingt géants roux ont porté Rouala, sa favorite. Pour celle-ci, il fait encore cueillir des champignons parfumés, abattre des oiseaux rares, attraper les papillons que mangent ses cobras familiers et trouver les fleurs dont elle se pare. Mais, depuis qu'il approche du but de son voyage, l'éternelle félicité, elle ne lui est plus qu'une occasion de sarcasmes.

— C'est lui que je vois? demanda Félix.

— En effet. Il atteint en ce moment la terrasse qui domine la baie. C'est à lui que Rouala offre à boire dans la coupe d'émeraude.

Quand il l'eut vidée, des femmes le baignèrent dans une vasque débordante d'huile parfumée, le massèrent avec une douceur quasi imperceptible et asséchèrent sa peau sombre avant de le quitter humblement au signal qu'il leur donna d'un geste ennuyé.

Tandis que resté seul sous un baldaquin de soie pourpre il pignochait quelques fruits, soudain saisi d'une gaieté folle, il lança une orange à la tête de Pontacha. Et, au moment où il s'esclaffait de ce que la pulpe eût éclaboussé le colosse, ses gens aperçurent la déesse qui émergeait, tel un soleil perçant la nue.

Éblouis par l'irréelle luminosité qui courait dans les veines de Callirrhoé, ils la désignaient du doigt et manifestaient des transports délirants bien que Gonfal en torturât ou tuât vainement cinquante, cent, pour leur arracher l'explication de leur allégresse.

Quand ils se furent calmés, renseigné par les mélopées des survivants qui psalmodiaient leur éloignement de la fugitive apparition, il s'abattit lourdement sur sa couche, convaincu de la partialité des dieux. Mais, pendant que ses gens, encore exaltés, effaçaient les traces de l'hécatombe dont ils ne s'expliquaient pas la cause, voici qu'à son tour il aperçut la déesse. Hélas, presque aussitôt, des volées de perruches suivies de vautours et de geais la dérobèrent à sa vue.

Ayant vainement attendu qu'elle réapparût, il réclama Rouala; et, de la grève, ses vingt gérants la lui apportèrent sur un disque d'or. Mais, quand elle fut devant lui, souriante et couronnée de fleurs, les bras chargés d'anneaux précieux et la peau moirée par la lumière des torches, il ne l'invita pas à descendre. Non content de l'appeler sans la retenir, il la nargua d'un rire moqueur.

Comme il s'y attendait, elle ne fronça pas l'arc de ses sourcils, mais tandis qu'elle s'interrogeait sur les motifs qui inspiraient à Gonfal cette hilarité blessante, elle oubliait de donner les papillons phosphorescents dont elle s'était amusée de nourrir un cobra et n'entendait pas ses sifflements furieux.

Déjà flatté que la plus belle des créatures fût amoureuse de lui au point d'ignorer ce danger, il ne se contint plus de joie lorsque le reptile affamé la mordit à la tempe, glissa du tronc à la jambe d'un porteur et disparut entre les rochers.

De douleur, elle poussa un cri et renversa la boîte de topaze d'où s'envolaient les papillons rendus à la liberté; ses mains se crispèrent contre la morsure, comme pour l'arracher; ses yeux s'exorbitèrent; dans ses convulsions, sa chevelure dénouée frappa les géants au visage; et au spectacle de ce beau corps qu'on emporta tordu de douleurs, Gonfal ajouta à sa jouissance sadique en appelant:

— Gosca! Gosca!

C'était une autre concubine qui, aussitôt prévenue, se surchargea de bijoux, se parfuma violemment et parut devant lui, frileusement drapée de soie vaporeuse pour s'entendre dire:

— Va-t'en!

Comme elle ne bougeait pas, croyant avoir mal compris, il répéta l'ordre, et elle partit, secouée de sanglots qui le firent de nouveau frissonner de plaisir.

Dès l'aurore, il réclama les sorciers qui accoururent, empêtrés dans de longs caftans violets et suivis d'une meute de chacals.

— Je veux aller à l'île de la déesse, leur dit-il.

— Nous prierons à ton intention.

— Vos prières et calembredaines ne me feront pas atteindre Callirrhoé. Trouvez autre chose!

— Nous avons transformé quatre girafes en langoustes si puissantes qu'une seule te porterait en se jouant jusqu'à elle, suggéra l'un deux. Viens les voir!

À la plage, où une foule admirait ces merveilles, Gonfal, pressé, décida:

— Attachez un homme à celle-ci, et tentons l'expérience immédiatement.

Malgré ses protestations, un esclave fut ligoté à l'une des bêtes qui glissa sur le sol, s'agrippa aux roches et s'enfonça dans la mer pour ne plus reparaître.

— C'est là votre génie? hurla Gonfal, ivre de colère. Si, demain soir, vous ne me présentez pas une meilleure découverte, le feu vous rôtira vifs.

Dès qu'il eut regagné l'ombre de son baldaquin l'apparition de Callirrhoé l'ensorcela de nouveau. Ni les explosions prodigieuses qui secouèrent les cavernes où travaillaient les sorciers, ni les blocs de pierre qui, détachés de la montagne, écrasèrent sur leur passage humains, animaux et plantes ne le tirèrent de l'enchantement où il était plongé. Quand, enfin, un vol d'oiseaux noirs eut estompé l'image de la déesse, il vit ses magiciens qui, peints de mystérieux desseins ocres et rouges, l'attendaient pour lui présenter un char à deux roues attelé de quatre chevaux ailés.

— Nous les avons éprouvés, dit l'un d'eux. Si tu veux les essayer...

— À vous de me donner d'abord la preuve de votre science.

Sûr de lui, le plus jeune prit les rênes et fit décrire aux chevaux un grand cercle dans le ciel avant de revenir se poser doucement à son point de départ.

— Maintenant, détruisez Pontacha! ordonna Gonfal, enthousiasmé par la docilité de ces bêtes qui, manifestement prêtes à repartir, secouaient leur longue queue et battaient l'air de leurs sabots. Je saurai mieux ainsi que vous ne lui appartiendrez pas, quand je ne serai plus là.

— Puisque tu nous quittes pour toujours... objectèrent les sorciers timorés.

Sous la menace du fouet, ils s'approchèrent pourtant du colosse, soufflèrent une poudre dans l'air, répétèrent trois fois la même incantation, et la masse de rubis et d'airain s'évanouit en poussière.

Ce fut pour Gonfal le signal de prendre place sur le char. Mais à peine partis, les chevaux l'entraînèrent si haut et si loin que la déesse lui parut inaccessible et minuscule; il ne vit bientôt plus rien de la terre; seules s'agitèrent devant lui des crinières dressées dans l'espace comme des panaches fallacieux.

Dès qu'eut disparu l'équipage charriant Gonfal, son désespoir et sa folie, une tempête dégarnissant les arbres et rugissant aux aspérités s'abattit sur la grève d'où ses sujets l'avaient vu s'envoler. Bien qu'aguerris par des années d'un voyage pénible, ils étaient envahis de terreur car, enveloppés de ténèbres, ils percevaient à travers les déchaînements de la nature des froissements délicats de reptiles sortant des torrents vers eux. Hypnotisés par la fixité des regards de cobras, boas et pythons, ils succombèrent sous les morsures, les piqûres et les broiements...

— Je souffre, j'ai mal, gémit le fumeur qui se tordait sur sa natte. À moi! À l'aide!

— Personne ne t'entend plus, lui répondit le gnome. Personne ne viendra plus. Nous sommes désormais seuls, toi et moi.

— Nous l'avons toujours été. Mais, je ne te vois plus!... s'étonna soudain Félix.

— C'est que tu n'as pas encore assez fumé.

— Je fume, mais je ne perçois plus qu'une lueur à l'endroit où brûlait la lampe. Je pressens qu'elle s'éteindra bientôt et que je mourrai.

— Tu ne penses plus à travailler? ironisa le gnome; à revoir Monette?

— Je me suis laissé prendre à tes leurres et j'ai gâché ma vie; je n'ai rien réalisé...

— Personne ne réalise ses rêves, pas plus toi qu'un autre. Vous vous cramponnez à votre perte. Rien ne peut vous en détacher. Le travail te conviait et tu lui as tourné le dos; Monette t'aimait et tu l'as abandonnée. Tu fuyais l'ennui et voulais vivre les jours qu'il tisse? Tu as cherché la paix sans avoir la force d'en accepter la monotonie.

— Il est peut-être encore temps. Monette m'attend, j'en suis certain.

— Elle est morte pour toi qui n'as pas su rester près d'elle.

— Alors, laisse-moi mourir en paix!

— La paix n'existe pas plus pour les vivants que pour les mourants. N'existent que l'envie, la haine et la cruauté. Tu as vu les puissants et les faibles accourir vers Callirrhoé. Tu ne l'atteindras pas plus qu'eux. Reste sur ta couche, ta vie s'achève.

— Déjà?

— Après m'avoir reproché les horreurs dont tu as été témoin, tu te plains que le terme en soit là?

Alors Félix ne protesta plus et admit que la vie lui échappait.

— Vieux compagnon, dit-il au monstre, si tu n'as pas su m'aider à vivre, m'aideras-tu à mourir?

— Depuis le jour où nous avons fait connaissance, ne t'ai-je pas aidé? Je ne puis plus rien pour toi. Si entouré qu'on soit, c'est seul qu'on meurt.

— J'ai peur.

— Pourquoi crains-tu maintenant, alors que tu te suicidais lentement sans hésiter?

— C'est juste. Il faut être conséquent avec soi-même. Adieu!

— Adieu!

Quelque temps encore, Félix haleta sur sa natte. Puis la lampe baissa, baissa, jusqu'à ce que, venu de Céléterre, un souffle de brise l'éteignît.

Il faut savoir ce qu'on veut

Minuit sonnait au beffroi du village... non! pas ça. Par une nuit sombre et froide d'hiver... Pas ça non plus! Allons! Voyons! Comment dire?

D'abord, il n'était pas minuit et ce n'était pas l'hiver. D'accord, il faisait froid, très froid même, et il bruinait. Près de la mer, on aurait parlé de crachin. Hélas, on n'était pas au bord de la mer, mais à Montréal, dans une de ces rues dont on ne se rappelle jamais le nom, devant une maison à façade sombre qui ne s'éclairait qu'à la sortie de visiteuses. À ces moments-là, on pouvait voir que l'intérieur était brillamment illuminé, mais chaque fois que la porte s'ouvrait, c'était dehors des cris, des insultes, un brandissement de pancartes sur lesquelles on avait improvisé des slogans grossiers contre l'avortement. Car la maison logeait la clinique du docteur Mongen et, devant sa porte, des dizaines de femmes manifestaient bruyamment leur désaccord, appuyées, si on peut dire, par quelques hommes qui avaient l'air femmelettes à côté de ces harpies déchaînées qui fonçaient sur les malheureuses patientes tenant à peine debout après le traitement qu'elles venaient de subir. Les voitures qui les ramenaient se frayaient difficilement un chemin à travers ces énergumènes vociférant insultes et menaces.

Les enfants, car il y avait aussi des enfants, braillaient et morvaient tant qu'ils le pouvaient, mais sans réussir à retenir l'attention de leurs mères, illuminées par ce qu'elles croyaient être de bons principes. Et elles n'étaient pas belles, les mères, car, comme chacun sait, les bons principes enlaidissent. Il faut avouer qu'il n'y avait pas que les bons principes pour les enlaidir; elles étaient affreuses: gros seins, grosses fesses, vêtements résistant mal à la poussée centrifuge de la graisse, langage à faire dresser les cheveux sur les têtes...

Pourtant elles étaient heureuses, puisque bruyantes.

Parmi cette horde de rejetées de l'humanité se distinguait une jeune fille douée pour la dictature. Pas mal, la fille, si on avait pu la déshabiller, mais il fallait se hâter car on devinait qu'elle ressemblerait vite à celles qui l'entouraient. Pour l'instant, elle agitait sa pancarte où elle avait écrit au pinceau «Non! aux avorteman».

Et de la voix! et du coffre! elle en avait. Elle promettait, la petite.

Si consacrée qu'elle fût à sa cause, elle se rapprochait insensiblement d'un grand barbu à peine moins veule que les autres hommes qui secondaient ces femmes. Elle l'avait aperçu à quelques reprises à l'occasion d'autres manifestations où, sans savoir se dépenser autrement, on agite des pancartes pas trop lourdes pour promouvoir des causes soi-disant nobles. Il ne devait pas faire grand-chose dans l'existence, sinon il n'aurait pas eu le temps de se promener comme ce soir en rythmant des slogans, mais il avait des convictions et de la jeunesse. Dans la vingtaine pas avancée, il portait l'uniforme des garçons de son âge: «jean» adhérant fortement à des fesses et à des cuisses musclées, veste de cuir et godasses beurre frais à demi lacées.

Lui aussi ayant répéré la petite, ce ne fut pas long qu'ils se retrouvèrent côte à côte. Là, de quoi parler sinon du temps qu'il faisait? Ils en parlèrent, soufflèrent sur leurs mains, sautèrent sur place, agitèrent leurs pancartes plus frénétiquement et beuglèrent jusqu'à ce qu'il proposât, à bout de souffle: «Allons boire un Coke au restaurant du coin. Le temps de se réchauffer un peu».

— Allons plutôt prendre un café chez moi, c'est à deux pas!

— Où ça?

— Viens!

Ils y furent en pas grand temps. Chez elle, dans un sous-sol, ce n'était pas grand, mais il faisait chaud. Un lit défait sur lequel traînait une pizza entamée, des «posters» au mur, tous représentant des femmes dont la presse parlait: Indira, Margaret, et l'autre Margaret, Elisabeth, Jeanne, pas la pucelle, la première femme policier, une autre pompier, Theresa, la première générale d'armée, etc. Le milieu était politisé.

La pièce aurait été plus grande, si elle n'avait pas été encombrée par des dizaines de pancartes qui avaient servi à des manifestations antérieures sur d'autres thèmes et n'attendaient qu'à sortir de nouveau. Il y en avait qui proclamaient «la libération des fammes» «mort aux traites» «Vive les fammes libes». On ne peut pas tout savoir, n'est-ce pas?

— Tu vis toute seule icitte?

— Ouais.

— Comment tu t'appelles?

— Fleurette. Et toi?

— Bernard.

— J'aime ça, Bernard.
— À cause des chiens?
— À cause, ... à cause... des chiens peut-être, mais j'aime ça.
— T'as les toilettes? La pluie, le temps...
Elle y serait bien allée la première, mais elle le laissa passer pendant qu'elle s'occuperait du café. Il alla donc de son côté; elle, à la cuisine en emportant la pizza – question de lui faire comprendre qu'elle était une femme d'ordre. Pourquoi se soucier de ce détail pour un gars qu'elle ne connaissait pas une demi-heure plus tôt?
Sait-on jamais?
Pendant qu'elle mettait l'eau à bouillir, qu'elle rinçait ses deux tasses et sortait l'instantané, il s'attardait dans la salle de bains. Elle n'entendait que le robinet de l'évier, comme s'il faisait des ablutions, puis il sortit sans actionner la chasse d'eau. À part les pancartes, il y avait dans la pièce une chaise, un divan, une table et un bureau. Il alla s'asseoir sur le divan pendant que, pressée, elle lui succédait à la toilette.
Ce fut vite fait. Elle sortit, rayonnante, prête à causer en attendant que l'eau bouille. Les sujets de la conversation étaient tout trouvés: la manifestation, le nombre étonnant de protestataires malgré le sale temps qu'il faisait, le silence des gouvernements au sujet de ce problème urgent et primordial des avortements, l'attitude éhontée du docteur qui...
Ils étaient d'accord, d'accord avant le café, pendant le café, et après... Décidément, c'est enrichissant que de parler à des gens qui sont sur la même longueur d'ondes.
Comme elle était à l'université en sciences humaines, il était normal qu'elle prît parti contre l'avortement; le programme poussait les élèves à s'immiscer dans les mouvements populaires.

— Mais qu'est-ce qu'on enseigne en sciences humaines? À faire partie des gens qui protestent, mais à part ça? C'est tout?

— Oh! non, on nous donne des cours sur toutes sortes de sujets. Tiens, aujourd'hui, par exemple, on a eu un cours sur les spermatozoïdes, le cours suivi d'une discussion à savoir si les spermatozoïdes ont une âme ou non.

Il parut inquiet, mais elle pousuivit:

— C'est important de le savoir, si on pense à tous les spermatozoïdes qui se gaspillent, pas vrai? Après tout, c'est pas impossible. Un spermatozoïde, c'est vivant. Ça bouge et c'est drôlement débrouillard, des fois.

Elle en savait des choses! Il ne répondit pas. Faisait-il un examen de conscience? L'admiration le rendait-il muet? Prenait-il des résolutions? Si les spermatozoïdes ont une âme, imaginez les conséquences! Était-ce la première fois qu'il avait une conversation d'un si haut niveau?

Pour changer le sujet d'une conversation qui semblait le mettre mal à l'aise, elle lui demanda carrément:

— Et toi? qu'est-ce que tu fais?

— Ah, moi! J'ai lâché l'université. J'étais en lettres. J'aime les lettres. Puis j'ai été journaliste. On m'a donné les chiens écrasés, comme de raison. Quand j'ai remis mon papier, le premier soir, ça été la fin de ma carrière. J'ai pas eu d'autre job. J'ai pensé fonder un journal qui se serait appelé *Allô, pompier!* J'ai laissé tomber. Mais je serai écrivain un jour. C'est facile, puis on travaille à l'heure qu'on veut et si on veut. On écrit ce qu'on a envie d'écrire, les journaux en parlent et ça rapporte, ça rapporte. Ça, c'est un métier qui me plaît. Pour l'instant, je travaille pas... J'ai pas le temps. Puis, c'est pas dans ma nature. C'est comme ça. Je touche mes allocations...

— Mais qu'est-ce qui t'amène à ces démonstrations? C'est pas de ton âge. Et l'avortement...

— J'ai mes raisons.

Inutile d'essayer de les cacher à une curieuse qui a la tournure d'esprit scientifique et inquisitrice. Les femmes ne l'ont-elles pas toutes? Ces raisons, elle les lui arracha les unes après les autres avec une subtilité, un doigté de professionnelle du confessionnal. Et il se laissa mettre à nu avec un plaisir de masochiste. C'était une longue histoire, mais elle l'avait conduit à manifester sous la pluie, au froid, contre ce que nous savons. Pourquoi? Voilà!

Il y a quelques mois, il avait rencontré une jolie fille, Marcelle. Ils s'étaient plu, s'étaient aimés, et encore et encore jusqu'au jour où elle lui apprit qu'elle était enceinte mais qu'elle allait se faire avorter. Quoi? se faire avorter? Il avait bondi d'indignation. Cet enfant, c'était sa chair à lui, c'était sa progéniture à lui. Elle n'avait pas le droit de le tuer. C'était un crime, pas contre la religion, la nature ou la société, mais contre lui, le père. Marcelle l'avait laissé ergoter, mais quand il fut à bout d'arguments, elle le mit devant l'évidence que, sans revenu, il ne pourrait pas aider à nourrir ce petit et que c'est à elle seule que reviendrait le soin de l'élever.

— Mais puisque tu as un job! avait-il protesté.

Puisqu'elle avait un job, elle tenait à le garder. Et on ne garde pas un job quand il faut donner le biberon aux trois heures, etc. En un mot, elle avait une façon matérialiste de voir les choses qui aurait soulevé le coeur de n'importe quel homme fier d'être un homme.

C'était tellement beau de l'entendre parler que Fleurette lui proposa un deuxième café et une pointe de pizza. Il accepta les deux. Pendant qu'elle s'affairait à la cuisine, il tourna le bouton du hi-fi et la musique fit trembler les murs. Alors, il s'allongea sur le divan. Ouf! Quelle journée!

Curieux! même après avoir mangé et pris le deuxième café, ils n'avaient toujours pas chaud. Au fond, ne réchauffe bien que la chaleur humaine, surtout quand on en a envie et ils y vinrent le plus simplement du monde.

Oh! n'allez pas vous imaginer que ça s'est fait comme ça! Il a commencé par avancer une main nonchalante et distraite qu'elle a repoussée de tous ses principes les plus rigides. Puis, il est revenu à la charge en se déplaçant une jambe. Elle se rangea pour ne pas y toucher. Il n'abandonnait pas ses tentatives, loin de là. Au contraire! il les multipliait, les variait, les améliorait et elle parlait et elle parlait.

Enfin, quand elle l'eut convaincu qu'elle n'était pas une fille facile – et ce n'est pas facile de n'être pas facile – elle le laissa faire à sa guise. Et puis, elle avait trop froid, vraiment trop froid à la fin. Ils additionnèrent donc leur chaleur corporelle et se sentirent tellement mieux. Épuisés, ils finirent par s'endormir dans les bras l'un de l'autre en se disant que c'est vraiment la seule façon de se réchauffer. Ils n'étaient pas les premiers à le constater, mais ils l'avaient bien mérité après avoir non seulement affiché tant de beaux principes, mais manifesté dans les conditions que nous savons pour qu'ils soient respectés.

Ce fut le début de campagnes admirables. Les pancartes sortirent les unes après les autres, agitées, détrempées, trimbalées, congelées. Par tous les temps, elles étaient au service des idéaux les plus nobles.

Pourtant, après s'être laissée enrôler dans des causes telles que la lutte contre les chasseurs de phoques, les trappeurs, les pêcheurs de saumons, pour les pistes cyclables, contre la pollution de l'air, pour les handicapés, elle en était venue à consacrer toutes ses énergies, tous ses temps libres – ou presque – à la lutte contre l'avortement.

Un jour, Bernard était arrivé avec deux pancartes nouvelles. Il avait vu des chiens en laisse et son amour de la liberté l'avait amené à penser que ces bêtes souffraient de ne pouvoir circuler à leur guise, toujours retenues par une poigne autoritaire, sans considération pour la nature intime du meilleur ami de l'homme. Elle l'avait laissé raisonner, mais il ne réussit pas à la convaincre. Elle regarda les pancartes qu'il venait de créer et, puriste, se contenta d'ajouter au crayon feutre un «s» au deuxième mot de la première qui disait: «coupon lé less!» Elle se souvenait – pour l'avoir vu à l'université – que «les» s'écrit avec un «s». Elle s'en excusa auprès de Bernard qui se contenta de hausser les épaules. À la deuxième, elle ne trouva pas matière à correction. Elle était ainsi rédigée: «Non, o less.»

Oh! elle ne craignait pas les regards amusés des badauds dans les parcs ou rue Sherbrooke. Elle en avait vu d'autres. Mais ce qui lui tenait à coeur, c'était la lutte contre l'avortement. C'était sa voie. Le mouvement s'était étendu à Toronto, à Vancouver. C'était exaltant. Les cours de justice avaient déjà donné raison au docteur Mongen, mais les protestataires ne lâchaient pas. Et les journalistes couvraient le débat avec une obstination de chien courant. Un jour, il y eut dans le journal une photo sur laquelle on voyait très bien Fleurette. Bernard, moins bien.

C'était une preuve incontestable de réussite. Vous savez comment ça se passe? Dès que les photographes arrivent, c'est la ruée des manifestants pour être devant l'objectif. Malgré la taille des concurrentes, elle avait trouvé le moyen d'être au premier plan. Inutile de dire que la photo vint augmenter la collection de celles qui étaient déjà au mur. Survoltée, après ce premier vrai succès, de plus en plus vendue à la cause, elle s'était acheté un «jean» qui demandait à être domestiqué. Alors, elle s'était trempée dans la baignoire jusqu'à ce qu'il fût dégoulinant et l'avait laissé sécher sur elle. C'est long à sécher un «jean». Le temps d'un week-end. Qu'à cela ne tienne! Quel automne! quel hiver! Et qu'on se réchauffait bien!

On se réchauffait si bien qu'après les vacances de Noël, vacances qu'elle était allée passer dans sa famille, elle dut se rendre à l'évidence qu'elle était enceinte. Les tests le lui confirmèrent. Il n'était pas question de le lui cacher. Il en fut ravi, transporté. Enfin! Que c'est merveilleux la paternité! Savoir que pendant des siècles et des siècles, les descendants attesteront de la valeur de leur aïeul. C'est d'autant plus exaltant qu'on n'a pas encore d'autre façon de prouver son existence.

Dilettante, il l'était par nature, il l'avait dit, par principe, par atavisme. Mais ça n'empêche pas un homme d'être fier de ses enfants, n'est-ce pas? Il faisait déjà des projets. Fleurette avait bien réussi aux examens du semestre. L'avenir promettait pour elle et quel avenir! Pensez donc! Bientôt une diplômée d'université! Sa famille était à l'aise donc elle aiderait à élever l'enfant. Fleurette, elle-même, aurait un emploi qui rapporterait de l'argent et de l'argent. En attendant, elle délirait d'optimisme, anticipait les joies d'enfanter, de torcher, de consoler, de nettoyer.

— Sais-tu à quoi je pense, lui dit Bernard, un soir, au retour d'une de leurs démonstrations.

— Dis!

— Sais-tu que te voilà avec deux âmes?

— Moi? J'ai...

— Mais oui, la tienne! et celle du petit.

Il lui vint à l'idée que ce n'était pas deux, mais trois âmes qu'elle avait; la sienne, celle du spermatozoïde de Bernard et celle du foetus, mais elle laissa tomber. Curieux! D'habitude, ces questions de métaphysique et de théologie la passionnaient et elle en aurait discuté pendant des heures, mais depuis quelque temps elle se sentait mal dans sa peau.

D'abord, cette autorité que Bernard s'était attribuée depuis qu'il allait être père – autorité qui grandissait avec les semaines et qui parfois frôlait la suffisance, estimait-elle. De plus, ces petits égards à son endroit l'agaçaient. N'y étant pas habituée, il lui semblait qu'ils s'adressaient à quelqu'un d'autre. Ces interdits de sortir par mauvais temps, même par un simple crachin, comme celui du jour où ils s'étaient rencontrés. Et plus question de porter ce «jean» qui lui allait si bien avant... Les malaises inhérents à son état, malaises qui se produisaient toujours aux mauvais moments...

Que de contrariétés!

Ceci au moment où le public semblait se désintéresser de cette cause qui leur tenait tant à coeur. Les journaux en parlaient moins à Montréal, bien que ceux de Toronto restassent fidèles. Mais, Toronto, on le sait, a toujours été à la traîne quand il s'agit de brasser autre chose que des affaires. Pauvre riche Toronto! Et pendant ce temps, le docteur Mongen continuait de travailler. Non! non et non ! le docteur allait fermer ses cliniques. Les manifestations se poursuivraient. Les cris de la population seraient de plus en plus convaincants, exigeants, péremptoires. Il fallait que les protestataires gagnent leur point, que les naissances s'ajoutent sereinement aux naissances dans le calme et la félicité!

Puis arriva un de ces temps d'arrêt dans les études, une semaine, dix jours, que les professeurs s'octroient pour reprendre haleine et patience. À cette occasion, Fleurette prévint Bernard qu'ils ne se verraient pas pendant ces quelques jours et il en conclut qu'elle retournerait dans sa famille se bagarrer un peu avec les parents, obtenir une plus grosse allocation et gonfler ses convictions.

C'est long, dix jours, quand on va être père! Mais ça finit par passer.

Quand enfin il arriva chez elle sans s'annoncer, il la trouva assise dans le fauteuil, le regard au plafond, un peu pâlotte, sans doute de s'être ennuyée de lui, immobile. Il n'y avait qu'elle à ne pas bouger dans la pièce. Secouée par un air de rock sur le hi-fi à pleins tubes, toute la pièce tremblait. Contre le mur tremblait aussi une nouvelle pancarte où elle avait écrit: «Abats, l'avorteman!» Le hi-fi jouait si fort qu'une punaise sauta, qui fichait au mur le «poster» de mère Theresa et le pan du portrait retomba sur le visage de l'apôtre.

Sans s'attarder à ce détail, sans déranger la méditation de Fleurette et sans baisser le volume de la musique, il se déculotta, passa au lit et attendit.

Ce qui se passa quand elle sortit de sa rêverie relève de l'époque des films muets. Non que la scène se passât dans le silence, brisé seulement par les mélodies d'un piano mécanique, oh! que non! Il y avait au contraire une telle cacophonie qu'un homme dont l'âge n'était plus celui des personnages n'y pouvait rien comprendre. Pourtant, ils paraissaient crier à tue-tête pour se faire entendre. C'aurait été si simple de couper le son. Nous aurions su ce qu'ils se disaient. Eh non! mais essayons de deviner!

Quand elle sortit de sa rêverie, dis-je, et qu'elle le vit qui l'attendait sur le lit, elle alla vers lui sans hâte. Il l'agrippa, l'attira, l'embrassa partout, partout, la déshabilla fébrilement, comme on cherche son billet de train au moment de partir et colla son oreille contre le ventre de Fleurette. Il décolla l'oreille, y revint. Qu'espérait-il entendre dans un vacarme pareil? Elle fit un geste de la main qui signifiait qu'il n'entendrait rien. Alors il sauta hors du lit, agitant les bras et délivrant une harangue avec la fougue d'un orateur dont les auditeurs se retiennent de bâiller et elle, écoutant plus que distraitement, comme si elle avait déjà entendu ce discours. Puis il passa son pantalon, y fourra tout et tout, remonta rageusement sa fermeture éclair, attrappa ses pancartes, se dirigea vers la porte et au moment où passait un cortège funèbre, sortit en criant ce que nous avons enfin réussi à distinguer:

— Tu vaux pas mieux que Marcelle, t'es pareille.

Et elle, toute nue, ancrée dans sa détermination, faisant irruption derrière lui dans la porte, lui répondit en vociférant:

— Il faut savoir ce qu'on veut dans la vie!

Un soir d'Halloween

Comment pouvez-vous ne pas croire aux sorcières? Oh! vous n'êtes pas les seuls. Allez! Il y en a des tas. Comme vous, moi-même, je m'en moquais aussi, jusqu'à ce que m'arrive l'aventure bizarre que je vais vous raconter. Mais alors, ma vie s'est enrichie de tout un monde qui me tient compagnie depuis. Généreux, je tiens à vous convaincre que vous pouvez aussi changer d'idée. Vous ne voulez rien entendre, ou la curiosité vous emporte-t-elle? Quel que soit votre sentiment, je vous raconterai quand même ce qui m'est arrivé et vous en tirerez les conclusions qui s'imposent. Je dis: «s'imposent.»

Il y a quelque temps, j'étais allé à l'épicerie faire quelques achats. Vous connaissez les épiceries en Amérique. On y trouve de tout, même des épices. J'étais donc arrivé à la caisse avec mon panier lorsque j'aperçus une cuve remplie de balais rayés noir et jaune orangé. Prix: 1,29 $. Six pour six dollars. Comme je n'utilise jamais de balai, je passai outre et sortis mes billets pour payer ce que j'avais acheté. Mais, tournant de nouveau les yeux vers les balais, j'eus envie d'en acheter un. J'aurais dû me méfier, car lorsque je m'ennuie, j'achète des choses dont je n'ai pas besoin, et précisément je traversais un moment terne sur tous les plans: affaires, amours, humeur, etc. Ils étaient si beaux! Mais le bons sens me remena au lait, oeufs, corn flakes, à ce que j'avais acheté, quoi. Soudain, croyez-le ou non, mû par une impulsion inexplicable, en deux pas j'étais à la cuve et en deux autres, de retour à la caisse avec six balais dans les bras. Pas un de moins. La caissière ne sourcilla pas. Elle ajouta six dollars à l'addition et je sortis.

J'habite un appartement de trois pièces où les parquets sont recouverts de tapis qui sont nettoyés avec un aspirateur. Je n'ai donc pas à utiliser de balai. Il y a la cuisine et la salle de bains, mais elles sont si petites qu'il n'y a même plus de place pour un brin de poussière une fois que j'y suis entré. Donc...

Un balai s'emporte assez bien, mais six! Je vous défie de ne pas vous trouver ridicule quand vous vous regardez passer dans la glace d'une vitrine avec six balais, vous demandant ce qui vous a pris de faire pareil achat, et surtout, de ne pas jurer, quand vous voulez les fourrer dans une voiture sport où il y a à peine assez de place pour vous et une toute petite amie qui vous embrasse dans le cou – si c'est une nouvelle conquête. Mais six balais!...

Pourtant, quand vous sentez les regards moqueurs des passants qui vous voient vous débattre avec ce genre de problème, vous en trouvez de la place et vite encore. J'en ai trouvé et suis parti en concurrent de Formule 1 comme si les rues m'appartenaient mais aussitôt ramené à la réalité par le premier feu de circulation.

Arrivé chez moi, au garage, je commençai à sortir mes achats. Pas plus facile que de les entrer. Bougonnant et jurant, j'y parvins pourtant et montai à l'appartement car, vous l'avez deviné, j'habite dans un immeuble de je ne sais combien d'étages où je connais des gens, bien sûr, mais pas tous. Or, alors que j'aurais souhaité me faufiler sans être vu et refermer vivement la porte de mon appartement sur moi et mes balais, je me trouvai nez à nez avec presque tous ceux que je connaissais dans l'immeuble. Il y en a qui firent semblant de n'avoir pas remarqué les balais. C'est le genre que j'aime en pareille circonstance. Ils ne semblent jamais voir le ridicule, ce qui ne les empêche pas d'en parler dès qu'on a le dos tourné. Pourquoi pas? Le ridicule est là pour qu'on en rie après tout. Et si les gens rient de moi, tant mieux. Ça ajoute à la gaieté générale. Donc, avec ceux-ci, pas de problème. Mais les autres! Questions, moqueries ou farces plates, on ne m'épargna rien. Que les ascenseurs sont lents, certains jours! quand ils s'arrêtent à chaque étage et que des gens y entrent et en sortent sans se douter un moment qu'ils devront affronter un barrage de balais et sans en soupçonner la longueur! Enchevêtrements, protestations, jurons! S'il me restait un semblant de pudeur, j'aurais été rouge comme l'enfer. Je devais plutôt être pâle de rage. Arrivé au cinquième, au lieu d'une sortie élégante et discrète, comme je me le proposais, je m'extriquai misérablement de cette humanité hostile en accrochant deux, trois têtes, en me coinçant entre les portes et, comble de l'humiliation, en échappant une douzaine d'oeufs devant tout le monde sur la moquette du couloir. Ah! L'éclat de rire que j'entendis quand les portes se refermèrent! Je m'en souviendrai longtemps. Enfin, j'ai pu entrer chez moi avec les balais. Pour ce qui est des oeufs, je retournerais à l'épicerie après avoir nettoyé les dégâts, car des oeufs, ça laisse des traces. Ce ne fut ni court, ni facile.

La première chose que je fis en rentrant fut de foncer vers le réfrigérateur et d'ouvrir une bouteille de bière. Que la bière serait bonne après un tel exploit! Au fait, qu'est-ce que j'avais accompli? Mais rien! Rien de rien! J'avais acheté six balais dont je n'avais pas besoin.

Je fis le tour des placards pour les faire disparaître au moins pendant le temps que je mettrais à les offrir aux amis. Les placards étaient remplis, archicombles.

À la réflexion, j'ai eu peur de les avoir longtemps. On vous a déjà offert un balai, à vous? À moi, jamais. Oh! une idée! Jacquie et Paul devaient emménager bientôt à Châteauguay. Ils auraient certainement besoin d'un balai. C'était tout trouvé. Dans ma hâte de me débarrasser de mes encombrants accessoires, avant même de me consoler avec une goutte de bière, j'avais Jacquie au bout du fil. Ce ne fut pas long. J'étais fixé. Elle ne voulait pas entendre parler de transporter un balai. Une superstition veut que, si vous déménagez votre balai, vous déménagez encore l'année suivante. Et Jacquie ne voulait pas quitter l'année suivante la maison qu'ils venaient d'acheter.

— Non, merci! Garde ton balai! Si tu veux être un chou, tu apporteras du champagne, beaucoup de champagne, quand nous pendrons la crémaillère.

Son idée n'était pas mauvaise, mais elle ne me débarrassait pas de mes trésors. À vrai dire, je n'aime jamais que la première gorgée de bière quand j'en prends, et cette fois, je la détestai franchement et surtout, je maudis les gens superstitieux. C'est ridicule, à la fin, de meubler sa vie d'âneries semblables!

De gorgée en gorgée, je faisais le tour de mes amis. Appelle celui-ci, appelle celle-la. Personne n'avait besoin de balai. Bah! il y avait l'Armée du Salut. Pourquoi se casser la tête?

Mais qu'est-ce qui avait bien pu me pousser à un tel achat? Je ne jette pas l'argent par les fenêtres habituellement. Je ne suis pas particulièrement économe, mais tout de même!... J'allais faire un long retour sur moi-même lorsque le téléphone sonna. Je décrochai.

C'était une voix de femme. Ou était-ce une voix de femme? C'était certainement une drôle de voix qui me dit:

— Tu as les balais?

— Si j'ai des balais? répondis-je plutôt intrigué. Oui. Tous les six!

— Je n'ai pas dit: des balais, j'ai dit: «les» balais, reprit elle d'un ton sec.

— Mais pourquoi «les» balais?

Je réfléchissais tout haut, bégayant stupidement, me révélant tel que je suis.

— J'ai dit «les» balais et je le répète. Garde-les chez toi et ne t'avise surtout pas de les donner à gauche et à droite. J'en ai besoin. Je te rappellerai plus tard.

— Qui parle? À qui ai-je l'honneur de...

Elle avait raccroché.

Que le diable m'emporte, si j'y comprenais quelque chose! À tourner et retourner la question dans ma tête, je me dis que des amis me jouaient un tour, mais qui? Je n'avais pas reconnu la voix au téléphone, mais on aurait dit que la voix avait été distordue par un appareil qu'on utilise au cinéma dans les Terrytoons ou certains Mickey Mouse. Je me dis que ce ne pouvait être qu'une des personnes de l'ascenseur, les seules qui me savaient propriétaire d'une telle collection. Non, pas les retraités du dizième, ni les institutrices du quatre, ni les Pakistanais, ni les Irlandais, mes voisins. Ils ne parlent pas français.

Je n'avais donc pas reconnu la voix et n'avais aucune idée où on voulait en venir. Attendons! me dis-je sagement. Mais pas plus la sagesse que l'attente ne me sont familières. Attendre sagement! quel programme pour un gars aussi piaffant que moi! Mais avais-je le choix? L'esprit ailleurs, je rangeai donc lentement les choses que je venais d'acheter, les unes au réfrigérateur, les autres sur les tablettes. J'étais vraiment troublé par tout ce qui se passait. Après tout, je ne suis pas à l'abri des troubles mentaux, moi, pas plus que les autres. Et ce qui m'arrivait était étrangement étrange.

Heureusement que j'avais des billets pour la représentation de ballets, ce soir-là. Oh! De grâce, ne vous imaginez pas que je fais un calembour! Je les ai en horreur; comme je n'arrive jamais à en faire un qui soit drôle, la jalousie me ronge et m'empêche de rire quand j'en entends un bon. C'est bel et bien pour une représentation de ballets que j'avais des billets. Aurais-je été la victime d'une association d'idée?

J'allai donc au tiroir de mon bureau et sortis des lunettes d'opéra et quelques dollars. Je pris aussi mon meilleur complet dans le placard, mes souliers propres, ma cravate des grands soirs. Je me préparais à une fête, car pour moi, un ballet est toujours une fête. J'avais encore quelques heures devant moi, mais aussi bien être prêt que bousculé à la dernière minute.

Au fond, si je m'attardais à ces préparatifs, c'était pour passer le temps, car j'avais trop de temps à passer avec moi-même et la curieuse histoire qui m'arrivait.

Du moins, je le croyais pendant un moment, jusqu'à ce qu'un nouveau coup de téléphone me rendît encore plus perplexe.

— J'irai les chercher au cours de la soirée, me dit la curieuse de voix au bout du fil!

«Les», ce ne pouvait être qu'«eux».

— C'est que je dois sortir, ce soir. Je vais à la Place des Arts, c'est à huit heures.

— Je sais que c'est à huit heures, dit-elle. Mais mets-les à ta porte. Je les prendrai là.

— Tous les six?

— Tous les six. Et aussi bien te prévenir. Le spectacle sera pourri, ce soir. Ce n'est pas la peine de te déplacer. Reste donc à la maison! Tu auras plus de surprises chez toi qu'en allant perdre ton temps au théâtre.

— J'ai dit que j'irais. Il faut que j'y aille. J'ai invité une amie.

— À ta guise, mais je t'aurai prévenu.

— Les balais seront à la porte...

Ma phrase n'était pas finie que mon interlocutrice avait raccroché.

Quelle curieuse histoire! Si mes amis voulaient me jouer un tour, ils réussissaient pleinement. Sans doute, je ne le leur avouerais jamais, mais à moi-même, je pouvais l'admettre. Car c'était certainement mes loustics. Qui d'autre! Sans doute que le téléphone avait répandu la nouvelle de mon acquisition; on improvisait et pendant tout ce temps j'étais la poire dont on se moquerait longtemps.

Tant qu'à y être, une idée me vint, folle comme ce qui m'arrivait; l'idée de jouer le jeu jusqu'au bout. Si je décorais les balais, tous les six? Si je les emballais comme des cadeaux de Noël, ou d'autre fête? Des cadeaux, quoi. Mais comment? Vous avez déjà décoré un balai, vous? Si oui, dites-le moi! Je voudrais bien savoir comment.

Aussi dépourvu que je sois d'imagination, il me vint pourtant une idée. Oh! elle n'était peut-être pas géniale, mais je me dis que je pourrais tout de même en faire quelque chose. Tant qu'à rire!

J'allai dans un placard où j'empile mes draps, neufs et vieux. Au cas où vous ne le sauriez pas, les célibataires n'arrivent pas à jeter les vieux draps. Au cas... J'avais donc de vieux draps tout nets qui attendaient une occasion d'être encore utiles depuis cinq, dix ans. Que sais-je? Il était temps qu'elle se présentât. Ça y était. Il y en avait des rayés, des fleuris, des quadrillés, des unis, tous fendus au milieu par l'usure et tous inutilisables dans leur état actuel. Aussi bien donner le coup et m'en servir. Que de souvenirs y étaient attachés que les lavages ne peuvent effacer! Dans les fleuris, je n'ai jamais eu beaucoup de chance, mais les rayés! Les bleu et blanc surtout. Ah! ces draps! Ah! les draps!

Comme j'allais leur donner le coup de grâce, le téléphone sonna.

Encore elle! me dis-je.

Ce n'était pas la voix que je craignais d'entendre, mais celle de Denise ma bonne amie du moment avec laquelle je devais sortir ce soir-là.

— C'est toi? Tu es prête? On dîne ensemble avant le spectacle?

— C'est que...

— Ou on soupe après? à ta guise.

— C'est que... répéta-t-elle.

— C'est que quoi? dis-je un peu énervé tout de même.

— C'est que j'ai accepté d'aller au hochey avec Roger.

— Mais, tu m'avais dit que nous sortions ensemble, ce soir... Et depuis quand le hockey t'intéresse-t-il? demandai-je, plutôt à pic.

— Ce n'est pas vraiment le hockey, tu comprends?

— Alors, c'est Roger?

— On ne peut rien te cacher. C'est ça. Une autre fois. Excuse-moi! On se reparle?

— N'y compte pas trop, répondis-je furieux, et je raccrochai sans plus.

Rageusement, courageusement, aveuglément, je fendis les draps en lisières, ce qui me calma un peu, puis je les enroulai autour des manches avec soin, une minutie qui m'étonnait. Était-ce le fait qu'on devait se quitter, mes vieux draps et moi? Était-ce la fin de cette liaison avec Denise, liaison barbante à la fin?

Les manches enroulés et capitonnés, ce fut le tour des boucles, à toutes les hauteurs, de toutes les grosseurs. Ça faisait plaisir à voir. À parer les balais, j'en avais oublié Denise et mon amour-propre blessé. Au fait, ça pouvait se guérir cette blessure et vite. Je n'avais qu'à inviter cette chère Élisabeth. Élisabeth est un amour de fille, mannequin, belle comme le jour, mais qui sortait peu le soir, de peur que manquer de sommeil fanât sa beauté. Pour moi, j'étais certain qu'elle dérogerait à ses habitudes. Aussitôt j'appelai.

Elle allait bien. Les affaires étaient prospères, mais elle était occupée, ce soir-là.

— Tu sors? lui demandai-je étonné.

— Oui, le secrétaire de Pierre vient de m'appeler pour m'inviter à un bal. Je ne sais où. Il arrive d'Ottawa en hélicoptère tout à l'heure.

— Donc, tu sors avec le secrétaire de Pierre.

— Mais non, avec Pierre, voyons!

— Bonne soirée. À bientôt! et vive la politique!

Que le diable les emporte toutes, me dis-je en raccrochant. J'irai aux ballets tout seul. Je n'avais pas besoin de senteurs de Guerlain ou de Chanel près de moi pour jouir d'un bon spectacle. Il m'arrive parfois d'avoir des lueurs de sagesse, quand j'en suis à cette extrémité.

Je mangeai une bouchée sur le coin du comptoir de la cuisine. Je me douchai, m'habillai et me peignai avec soin. Avec soin, dis-je, car, vous n'ignorez pas que moins on a de cheveux, plus il est difficile de les distribuer négligemment sur le crâne pour que le moins de dégâts possible ne paraisse.

Puis, je rangeai les balais contre le mur du couloir, pris mon manteau propre, un foulard époustouflant et partis. Il était plus que temps. Une fois dans le métro, puisqu'il était inutile de prendre ma voiture pour aller à la Place des Arts et que j'y allais seul, je me tâtai pudiquement. Mon billet! Où étaient passés mes billets? Je n'avais pas de billets.

À la première station, je descendis et rebroussai chemin, remontai précipitamment chez moi au moment où tous mes voisins de palier sortaient pour aller où, je vous le demande, mais tous ensemble à me regarder rentrer en catastrophe par ma porte encore flanquée des balais enrubannés. Ils étaient encore là. Pas une seule question, mais des bonsoirs discrets et des regards étonnés. À peine entré, je retrouvai les billets, et repartis aussitôt pour retrouver tout le monde attendant l'ascenseur et muet. Muet, je dis bien, puisque je n'entendais pas un mot. Rien! Je n'entendis pas un mot, mais je savais très bien ce que chacun brûlait de me demander.

N'ayant pas le temps de répondre aux questions qui m'auraient été adressées, j'en avais encore moins pour celles qui ne l'étaient pas.

J'arrivai au théâtre à bout de souffle et de mauvaise humeur et m'affalai dans mon fauteuil au moment précis où le rideau se levait. J'étais plus essoufflé que les danseurs le seraient à la fin du spectacle. Pourtant, si ma respiration se calma, mon esprit n'en fit rien. Denise! Élisabeth!

Le spectacle était mauvais, mais mauvais! Quand tout s'en mêle, attaques ratées, chutes, – je dis bien: chutes au pluriel – costumes ridicules, danseurs gringalets. C'était minable. Et je m'agitais drôlement dans mon fauteuil, jusqu'au moment où je m'aperçus que quelque chose y retenait mon pantalon. Mon pantalon neuf! C'était une mâchée de gomme. A-t-on idée de permettre l'entrée dans les théâtres aux gens qui mastiquent de la gomme, cette plaie de l'humanité, cette anticivilisation, cette barbarie, cette dépravation de la rumination, cette abomination de la désolation.

Si encore ils l'avalaient leur maudite gomme d'enfer, mais non! ils la collent aux fauteuils et aux pantalons tout neufs des spectateurs. Puisque j'avais deux billets, je n'aurais pas pu m'asseoir dans l'autre fauteuil? Non?

Au premier rideau, je me précipitai aux toilettes et là, dans une cabine, tordu, plié, furieux, je m'acharnai à me libérer de cet affreux héritage. Comme les mensonges de Voltaire ou de je ne sais trop qui, il en restait toujours quelque chose. De retour au spectacle, rien ne s'améliora. Quand vous avez une mâchée de gomme aux fesses, il est difficile d'élever l'esprit. Le mien restait tout ce qu'il y a de plus siège à siège. Et le spectacle s'acheva et m'acheva. Comme j'aurais dû rester chez moi! Au téléphone, la voix me l'avait bien dit que ce serait mauvais, mais comment le savait-elle?

J'étais de trop mauvaise humeur pour rentrer directement chez moi. Il y avait en ville une animation des grands soirs, un air de fête, de folie que je voulais partager. Montréal est amusant tous les jours, mais ce soir-là, «ça sautait», comme on dit.

J'optai donc de passer par un bar très sombre que j'aimais bien et où je rencontrais habituellement des connaissances intéressantes.

Je montai au bar et j'y avais à peine commandé que j'entendis une voix connue. Une voix de femme. Il faisait si sombre que la voix était le seul moyen de se reconnaître. Une de mes anciennes, un crampon qui s'acharnait à me ravoir. Ah non! Tout de même! Il y a une différence entre le passé, le présent et l'avenir Pour elle, ce n'était pas une vérité de La Palice.

Si seulement, j'avais pu lui refiler ma mâchée de gomme, là où vous pensez.

Les questions des quelques clients que je reconnus ne firent rien pour corriger la situation.

— Tu es seul?

— Seul?...

— Il y a longtemps que tu es seul?

— Denise n'est pas là?

— Tu dragues?

Avec le peu de patience qui me restait, je rongeai mon frein de plus en plus péniblement jusqu'au moment où un voisin surexcité leva les bras d'enthousiasme à la réflexion d'une jolie fille qui lui faisait du genou. Il avait oublié qu'il tenait encore son verre dans la main, et je reçus son «Bloody Mary» comme une douche rouge, gluante et froide qui finit de rater ma soirée. Finies les festivités! Finie la bombe! Le pantalon collant partout, la veste mouillée et rougie, je passai prendre mon manteau au vestiaire et m'aperçus que, c'était le comble, j'avais oublié mes lunettes d'opéra dans la cabine des toilettes où je m'étais péniblement dégommé – si on peut dire.

Dégoûté, je montai à pied chez moi – le manteau sur le bras malgré le froid. Je n'aurais pas pu le porter par-dessus ma veste trempée de jus de tomate. J'étais à deux pas. J'avais pourtant oublié les balais. Que s'était-il passé? Qu'était-il arrivé? Est-ce que j'allais les retrouver tous sagement alignés contre le mur du couloir? Comment auraient-ils pu être ailleurs? Décidément, je déraisonnais.

Enfin arrivé au cinquième, je sortis de l'ascenseur comme un bouchon de champagne. Mon coeur manqua un battement. Les balais étaient partis. Seuls, les emballages restaient sur la moquette du couloir. Rayés, à fleurs, tous ils étaient là. Je n'allais pas les remettre sur la tablette du placard ou les garder pour des courtepointes. Je les fourrai dans des sacs de plastique et les posai près de l'incinérateur.

Voilà! la journée était terminée, une journée grinçante, âcre, troublante, une journée qui demande de se finir avec un disque de Schubert et un verre de scotch.

Le disque terminé et le verre vide, je me mis au lit. Il n'était même pas minuit. Inutile d'ajouter que je ne me mets pas souvent au lit avant minuit. Mais, cette journée n'avait pas été comme les autres. Vous l'admettrez avec moi. Inutile aussi de vous dire que je ne m'endormis pas tout de suite. Allongé entre mes draps gris éléphant... gris éléphant! une autre de mes idées idiotes! En les voyant tout unis avec une simple bande jaune impérial près d'une extrémité, je n'avais pu résister. Il me les fallait. Vous êtes-vous déjà couché entre des draps gris éléphant? D'abord, vous avez la sensation d'être en bière. Puis, la moindre goutte de sécrétion les tache de façon presque irrémédiable. Mon confesseur m'en avait pourtant prévenu! Enfin, qu'est-ce qui m'avait poussé à les utiliser ce jour-là? Autre mystère.

Je regardais le plafond et songeais. À rien. Peut-on ne songer à rien? Sur le point de dormir peut-être, j'éteignis. La nuit était si claire et la lune si belle que je regrettais de n'être pas à la campagne où la beauté des nuits prend vraiment toute sa valeur. Dans les villes, regarder le ciel, c'est risquer de se faire écrabouiller. Quant aux étoiles, je ne me souviens pas d'en avoir vu une seule d'un trottoir de ville. Et je m'endormis pour cesser de grincer.

Plus tard, je ne sais pas quelle heure il était, je m'éveillai, comme si une rafale de pluie ou de grêle dans la fenêtre m'avait sorti du sommeil. Ce ne pouvait être ni l'une ni l'autre, puisque la lune était toute ronde et qu'il ne pouvait pas faire plus beau.

Quelqu'un avait lancé du gravier dans mes carreaux?

Je me levai, allai voir. Il n'y avait personne. D'ailleurs, comment aurait-on pu lancer du gravier au cinquième étage? Ce n'est pas physiquement impossible, mais assez peu probable. Enfin, il n'y avait personne.

Comme j'allais retourner au lit, ce même bruit se répéta et quelque part une horloge sonna minuit. Curieux! D'où cela pouvait-il venir? Il y a belle lurette que les horloges ne sonnent plus les heures, la nuit, dans les villes – à Montréal comme ailleurs. Tout en écoutant, je regardais distraitement. Personne! Il n'y avait toujours personne. Mais là! mais oui, contre la lune! Vous le croirez ou non, mais je vis la sorcière qui nous visite à l'Halloween. Elle passa lentement, silhouette noire penchée sur son manche de balai, profil bien dessiné sous son grand feutre noir, comme sur les images. Je n'en croyais pas mes yeux. Elle leva un bras et me salua. Du moins, j'aurais juré que c'est moi qu'elle saluait et elle donna une petite tape sur le manche de son balai comme pour dire que c'était du solide. J'étais figé d'émerveillement. Elle passa de la clarté de la lune à la nuit et je ne la vis plus.

Je restais à la fenêtre, me demandant si j'avais rêvé, si mon état mental ne se détériorait pas. Pourtant, je l'avais bien vue. Ah! si seulemnt Denise ou Élisabeth avait été avec moi... ou même ce crampon du bar... Malheur de malheur!

Je m'interrogeais encore quand je vis une autre silhouette contre la lune. C'était la même image en plus petit, en plus jeune. Celle-ci, c'était certainement la fille de l'autre. Elle passa aussi, puis une autre et une autre encore et... cinq en tout. J'avais bien compté. Pourtant, j'hésitais encore à tirer des conclusions, car il y avait eu six balais à ma porte. Où était le sixième, si vraiment la sorcière les utilisait pour retourner dans son royaume? Non! j'imaginais des choses. Une bonne nuit de sommeil me redonnerait un peu d'équilibre.

J'en était là de mes sages considérations quand je vis paraître la toute dernière fille de la sorcière, Pâquerette. Bravement agrippée à son manche, elle passait en plein ciel à la suite du reste de la famille. Elle ne me fit pas de geste de la main. J'aurais tellement voulu qu'elle m'en fît. Elle hésitait certainement à lâcher le balai, car elle tenait un cornet de crème glacée dans la main gauche – à la pistache, la crème. Je l'ai vu distinctement. Par cette nuit glaciale, elle n'avait pu nous quitter sans cette gloire des crèmes, au risque de perdre l'équilibre sur un balai qu'on ne tient que d'une main. Si elle avait échappé le balai... Je n'ose pas penser à ce qui serait arrivé. Échappé la crème glacée... Où aurait-elle atterri? Sur un képi? Dans un corsage plongeant? Entre quatre lèvres qui vont se toucher? La petite n'échappa ni le balai, ni la glace. Une fois passée devant la lune, elle disparut à son tour.

Que faire après une expérience semblable, sinon reprendre un scotch et attendre que le sommeil revienne?

J'avais à peine mis les glaçons dans le verre que le téléphone sonna. Le maudit téléphone!

— C'est bien le 183-4444, oui?

— Oui.

— Nous avons là une personne qui insiste pour vous parler. À frais virés. Ne me demandez pas d'où elle appelle. Nous ne pouvons pas la localiser. C'est inusité.

J'en déduisis qu'on m'appelait d'un hélicoptère, Élisabeth peut-être. J'acceptai de payer les frais.

— Merci, dit la voix cassée que j'avais entendue plus tôt dans la journée. Vos balais sont les plus confortables que nous ayons utilisés. De vrais Rolls Royce. Merci et à l'année prochaine!

La conversation s'arrêta là.

Plus personne au bout du fil.

Si jamais je rencontre des gens pour nier l'existence des sorcières! je leur montrerai le compte de la Bell.

Au 9e trou

Connaissez-vous Furnas? Furnas dans l'île de Saõ Miguel aux Açores? Vous ne connaissez pas? Dommage!

C'est un petit village dans un décor de volcans même pas éteints, tout prêts à faire éruption de nouveau. On les sent, on les entend gronder, chercher leur chemin vers le drame. Des jets d'eau sulfureuse et bouillante giclent entre les rochers. Les boues frémissent. L'air est imprégné de senteurs bizarres où les fleurs ne cèdent pas leur place. La végétation y est démente et le climat tel, que le Jardin botanique de Londres a créé là sa section des plantes tropicales, prétexte à un parc admirable attenant à l'hôtel où je séjournais.

Or, à quelques kilomètres de là, se trouve un terrain de golf, pas un de ces terrains où des Américains poussifs se déplacent en voiture sous un dais bariolé. Non! un terrain dessiné par un Écossais soucieux des traditions sportives de son pays: bunkers aussi profonds que des tranchées, verts minuscules, allées étroites, cheminant par monts et par vaux dans ce décor à couper le souffle au propre et au figuré.

C'est là que Maria de Lemos m'avait donné rendez-vous pour une de ces parties qui sont la récompense de la vie. Maria est une amie de longue date. Donc, je lui trouve toutes les qualités: beauté, intelligence, classe, esprit sportif, et pas de défaut. Elle venait, comme ça, de temps en temps, de Ponta Delgada dans sa voiture, jouer au golf avec moi, nullement préoccupée par le train de la maison qu'elle laissait aux soins de ses nombreux domestiques, sûre que le dîner serait prêt quand elle rentrerait retrouver son mari, à son retour du bureau.

Peut-on trouver passe-temps plus agréable que celui de jouer au golf sans essayer de prouver quoi que ce soit, sous un beau soleil et sans personne qui vous regarde ou vous bouscule? Ce jour-là, il y avait si peu de monde sur le parcours qu'on avait l'impression d'y être seuls et au bout du monde. Nous allions donc tous les deux, contents d'être ensemble, sinon de la beauté de nos coups, causant de tout et de rien, peut-être même un peu de philosophie. J'aurais voulu jouer mieux, mais pourquoi? Elle jouait une partie pas vraiment brillante non plus. Qu'à cela ne tienne! Nous étions détendus, heureux.

Les caddies l'étaient avec nous, deux petits Açoréens éveillés et frisés qui couraient chercher la balle que nos maladresses faisaient dévier des allées gazonnées. De leurs pieds nus, ils tâtaient le sol dans l'herbe haute et même plus loin, dans les aiguilles des pins qui limitaient le parcours, et ce n'était pas long qu'on les entendait crier: «Aqui, aqui!» Leurs sourires éblouissants nous prouvaient qu'elle était là. «Encontrei-a!» (Je l'ai trouvée!) Ils auraient été payés pour chaque balle égarée qu'ils n'auraient pas été plus triomphants.

D'un vert à l'autre, sans nous soucier du score, comme deux écoliers faisant l'école buissonnière, nous arrivâmes au départ du neuvième: à peu près cent cinquante verges, par trois.

Mais, au moment où Maria mettait sa balle sur un «tee», je l'entends qui dit:

— Ah! La chipie!

Ne comprenant rien à cet éclat d'humeur inattendu, je lui demande:

— Qu'est-ce qui se passe? Que vous arrive-t-il?

Sans répondre autrement, d'un geste de la tête, elle m'indique le vert du neuvième. Je regarde.

Ce vert est près du «club-house» et à côté du vert se tenait une femme que je ne connaissais pas. Maria, elle, la connaissait.

— Vous la voyez? me dit-elle. Elle habite près de chez moi en ville. Nos maris sont des collègues. Ils jouent au golf ensemble. Elle, pas. Pourquoi croyez-vous qu'elle est venue jusqu'ici? Pour voir avec qui je joue et comment je joue. Ce soir, tout Ponta Delgada saura que je passe mes journées avec un homme qui n'est pas mon mari et, si je joue mal, tout Ponta Delgada se moquera de moi.

J'essayai de lui faire entendre que ce n'était pas si grave que ça, que «la chipie» passait peut-être par là par hasard et que le désoeuvrement l'avait amenée à jeter un coup d'oeil sur le jeu des joueurs. Elle était peut-être venue au club chercher quelque chose dont son mari avait besoin à la ville, des chaussures, un sac ou quoi encore.

— Comme vous connaissez peu les petites villes et les femmes! me dit-elle. Expliquez-moi plutôt comment elle a su que je jouais au golf aujourd'hui, alors que je joue habituellement le jeudi. Et pourquoi est-elle ici sinon pour vous voir, vous, un étranger? Elle se meurt de curiosité et de jalousie, voilà ce qui l'amène ici.

À l'allure où nous avions joué jusque-là, un autre groupe nous avait rejoints que Maria connaissait. Des membres du club. Il fallait ou les laisser passer ou jouer notre coup. Maria préférait jouer le neuvième, précisant que nous arrêterions un moment au bar pendant qu'ils continueraient à leur rythme et que nous pourrions poursuivre la partie au nôtre. Le temps de prendre une tasse de thé.

— Avec la chipie?

Je n'eus pas grand temps pour analyser le regard indéfinissable qu'elle me lança en guise de réponse. Elle planta fermement les clous de ses souliers devant sa balle, puis je la vis se concentrer, serrer un peu les lèvres, lever sa canne et, le plus harmonieusement du monde, frapper. Le son avait été sec, un son qui fait plaisir à une oreille exercée. La balle était bien partie. Sans lever la tête, Maria continua le mouvement, comme une professionnel l'aurait fait. Nous étions médusés, les caddies et moi. La balle fila, tout droit, fila, tomba sur le vert et roula... dans... le... trou.

Lâchant les sacs, les bras en l'air, sautant et criant de joie, les caddies coururent embrasser les mains de «dona» Maria. Je m'avançai pour la prendre dans mes bras et la féliciter. Témoin de ce coup magistral, le groupe qui nous avait rejoint l'entourait aussi. C'était une indescriptible scène de congratulations, de taquineries, de blagues, comme, seule, la confrérie des golfeurs peut se payer.

Maria venait de réussir un coup dont bien peu de joueurs peuvent se vanter. Quand l'enthousiasme se fut calmé, souriante, Maria me dit:

— Vous voyez à quel point je peux détester cette femme?

— Quelle femme?

«La chipie» avait disparu.

Monsieur Séguin

Il y a bien des années, quand il y avait encore des voleurs, la vie d'interne dans les hôpitaux apportait souvent de curieuses distractions. Ainsi, un jour que Maurice Duquette était de service, il entendit qu'on appelait le «docteur» Duquette au micro. «Docteur», il l'était depuis quelques semaines seulement, et cela lui faisait plaisir d'entendre son nom avec son titre tout neuf par les couloirs de l'hôpital. Mais, cette fois, ça tombait mal. Il était depuis dix minutes agglutiné à la radio qui détaillait les péripéties d'un vol de banque qui venait à peine d'avoir lieu à deux pas. C'était surexcitant. Alertée par un signal silencieux, la police était arrivée, toutes sirènes dehors sur les lieux du vol, ce qui évidemment avait eu pour résultat de hâter la fuite des bandits – fuite tellement précipitée qu'un des quatre n'avait pas eu le temps de rejoindre les autres dans la voiture qui les emportait. Il avait dû courir sur les trottoirs encombrés du quartier et s'engouffrer dans la première ruelle venue, où il avait disparu comme par enchantement.

Un jeune policier s'était précipité à sa poursuite, mais, arrivé à la ruelle, s'était immobilisé, cherchant l'homme qu'il était sûr d'avoir vu aller par là.

Duquette n'en entendit pas davantage. Il fallait qu'un appel à l'urgence vienne mettre fin au suspense. Grognon, il se dirigea donc aussitôt vers l'aile de l'hôpital où se trouvait le patient ou la patiente qui réclamait des soins immédiats. Quand il y entra, il trouva une femme dans la cinquantaine visiblement nerveuse.

— Enfin! lui dit-elle. Depuis le temps que j'attends! Qu'est-ce que mon ami va dire?

Duquette, essayant de la calmer, y alla de son plus grand sourire et de la question habituelle:

— Qu'est-ce que je peux faire pour vous, madame? Vous avez mal quelque part?

Elle n'avait mal nulle part... mais venue à la clinique du matin, on lui avait prescrit des relaxants et elle voulait savoir si elle pouvait continuer de dormir avec sa montre au poignet après avoir pris son médicament.

Restons calme!

Non! il ne s'emporta pas. Il n'imagina même pas qu'elle voulait se moquer de lui. Rien! Il se contenta de la rassurer le plus professionnellement du monde, tout en se demandant s'il était passé par toutes ces années d'études pour résoudre ce genre de problèmes.

Comme elle allait partir, elle lui demanda sur un ton confidentiel:

— Que pensez-vous de mon chapeau?

— Mais...

Elle n'en portait pas.

— Dites! Je veux savoir, insista-t-elle. Je peux changer si vous ne l'aimez pas. J'en ai d'autres.

— Mais, madame, vous n'en avez pas!

S'étant passé la main sur les cheveux, elle éclata d'un rire inquiétant.

— Mais, où ai-je la tête? dit-elle. Qu'est-ce que vous allez penser de moi, docteur? Merci de me l'avoir dit. Il faut que je passe à la maison pour en mettre un.

Et elle partit, le remerciant profusément et s'excusant de ne pas pouvoir rester plus longtemps, parce que son ami l'attendait. «En ville».

Comme elle sortait, elle fut bousculée par quatre policiers bottant devant eux un homme ensanglanté et menotté. Inutile d'insister sur le vocabulaire qu'ils utilisaient pour convaincre leur homme d'avancer. Vocabulaire d'ailleurs superflu, puisque les coups suffisaient pour l'en convaincre. L'état du malheureux ne l'incitait pas à demander autre chose que des soins médicaux. Il tenait à peine debout aidé de trois infirmières. Duquette l'arracha aux «agents de la paix» et le mena vers une civière. Mais, lui voyant les poignets enchaînés derrière le dos, il leur fit remarquer que pour l'examiner, il valait mieux le libérer.

Ils se regardèrent avec l'air de se demander s'ils oseraient courir un tel risque.

— Voyons! il est seul et vous êtes quatre, armés!

Après un moment de consultation, le plus gros, le sergent, dit au plus jeune:

— Vas-y, Marcel! Sors tes clefs et ôte-lui ça!

Marcel, une recrue sans doute, se fouilla nerveusement sans les trouver. Puis, il recommença plus lentement, plus méthodiquement sans plus de résultats. Il n'avait plus les clefs!

— Dis-moi pas que t'as perdu ça! lui dit le gros.

L'air malheureux, Marcel dut avouer.

— Pourtant, je les avais...

— Christ de cave! lui dit le patient. Même pas capable de garder des clefs. Passe-moi la main sur la fesse gauche, tu vas les trouver dans ma poche, ordure!

C'était vrai. Comment il s'y était pris pour?... Mystère! mais si une conclusion s'imposait, c'était que le détenu était bien plus finaud que ses tortionnaires et qu'il leur en ferait voir bien d'autres, si jamais la santé et la liberté lui étaient rendues.

De toute évidence, il n'avait pas trop d'affection pour les policiers. Ce qui lui restait de forces passait dans des insultes et des jurons à faire dresser les cheveux sur la tête.

— Monsieur! fit une voix de femme indignée par ce chaos de mots et de gestes. Mon bon monsieur! Vous ne pouvez pas penser ce que vous dites, un chrétien comme vous!

C'était soeur Rose-du-Calvaire, la bonne grosse Rose dont la mission était d'aider au moral des malades. Miracle! le patient se tut.

Bon! Le calme revenu et le prisonnier sans menottes, l'examen prouva qu'une balle avait emporté un bout de peau de l'épaule gauche, une autre avait égratigné la cuisse gauche aussi. La peau du dos manquait sur une surface sans grande importance ainsi qu'un bout de sourcil. Cinq balles n'avaient pas réussi à venir à bout du patient, mais une sixième était entrée dans l'abdomen et celle-ci pouvait être mortelle.

— T'as pas manqué ton coup, Marcel, dit le sergent, une masse de graisse et de suffisance. Tu promets.

— Moi?

— Oui, toi. Qui d'autre? T'étais le seul à le poursuivre. Ton révolver était chargé; il est vide.

— Je ne me souviens pas d'avoir tiré, avoua Marcel. Quand le petit gars s'est arrêté sur son tricycle et m'a montré le perron où il savait qu'un homme se cachait, j'ai perdu le nord, je pense.

— Perds-le encore, ça te réussit.

Avant de parler, le sergent aspirait par le bec en cul-de-poule l'air qu'il transformait en phrases dont il attendait une admiration béate chez ses auditeurs.

Pendant cette conversation révélatrice, l'interne se rendait à l'évidence que le blessé n'en menait pas large et qu'il ne pouvait pas en prendre seul la responsabilité. Il se hâta donc d'appeler le chirurgien de service, le docteur McKibbin qui lui dit d'hospitaliser le patient, de demander des plaques de l'abdomen et la série complète des analyses, de faire venir du sang s'il n'y en avait pas au laboratoire, d'installer un sérum, etc.

— J'arrive, dit-il en terminant.

— Combien de temps? lui demanda l'interne, le front un peu moite tout de même.

— Un quart d'heure.

Dans de telles circonstances, tout le monde oublie l'heure, personne ne calcule ni ses pas, ni ses efforts.

Trouver un lit, c'est parfois facile, mais trouver une chambre libre, ce ne l'est pas souvent. Inutile de penser aux soins intensifs, tous les lits y étaient occupés et personne n'était en état de recevoir son congé. Par une série de tours de passe-passe, le bureau d'admission réussit à loger le blessé dans une chambre convenable, le laboratoire envoya une technicienne dans un temps record prélever les échantillons de sang et d'urine, etc.

C'est à ce moment-là qu'arriva le docteur McKibbin, un grand type sec et froid qui en avait vu d'autres. D'un coup d'oeil il avait compris.

— Annonce le cas en chirurgie et dis-leur que ça presse. Il saigne. Regarde son ventre! La balle a dû lui perforer l'intestin ou traverser une artère. Il faut y aller au plus vite.

Duquette attrapa le premier téléphone venu, composa le numéro du bloc opératoire et attendit. Oh! pas longtemps. Le temps de trois sonneries.

— Soeur Agathe à l'appareil.

— Ma soeur, j'appelle de la part du docteur McKibbin. Il a une urgence, un grand blessé qu'il veut opérer le plus tôt possible. Une balle quelque part dans le ventre.

— Le temps de préparer la salle et de faire venir l'anesthésiste. Les infirmières sont ici. Faites monter la requête!

— Il n'a pas encore ses radiographies mais ce ne sera pas long. Sa chambre sera au troisième sud, dit l'interne en guise de point final à la conversation, et il raccrocha.

— Pendant que tu es au téléphone, appelle donc le docteur Gervais et demande-lui s'il ne viendrait pas me donner un coup de main.

Duquette chercha le numéro de téléphone du docteur Gervais, composa et au moment où il l'avait au bout du fil, le patron prit l'appareil.

— Maurice, es-tu libre? J'ai un cas important, une saloperie. Nous ne serions pas trop de deux. Tu me rendrais service.

Maurice était libre et le docteur McKibbin raccrocha en disant:

— Dans une demi-heure à peu près.

Au fond, il y avait plus à faire que des radios. Il fallait laver et raser le patient, faire venir les transfusions et ceci et cela. Depuis l'arrivée du blessé, l'hôpital était en état d'alerte. La nouvelle ayant couru, tous les départements étaient sur le qui-vive. C'était un de ces moments qui donnent aux internes le sentiment de ne pas avoir subi leurs années d'université pour rien. Duquette se multipliait. Sa journée s'annonçait exténuante, mais il n'y pensait même pas. Quel cas!

Au fait, comment s'appelait le patient! Séguin. Donald Séguin.

On monta donc Séguin au service de radiologie. Radios de face. Radios de profil. Étude minutieuse des plaques, car on ne se lance pas à trouver une balle et à réparer ses dégâts sans prendre toutes les précautions possibles.

Comme le docteur McKibbin, son interne attitré et les autres attirés par l'inusité du cas sortaient après la lecture des plaques, ils se trouvèrent devant un colosse, une armoire à glace qui, sans même s'excuser, les écarta de son chemin et piqua droit sur le patient à-demi mort sur la table d'examen.

Ahuris, les internes regardèrent le patron, se demandant ce qu'il ferait ou dirait devant semblables manières. Le patron ne protesta même pas. Rien! Il se contenta de dire:

— Nous sommes tombés dans un drôle de milieu.

— Mais...

— Ce grand type ne m'est pas inconnu. Vous avez déjà entendu parler de Bédard, le détective? Si ma mémoire est bonne, c'est lui, et il va cuisiner son homme pendant qu'il est encore vivant.

Les internes tombaient des nues. Qu'un chirurgien soit forcé d'attendre le bon plaisir d'un détective pour traiter un patient dépassait leur entendement.

— Ça peut être long? demanda Duquette.

Le docteur McKibbin haussa les épaules. Il n'en savait rien. Laissant internes, infirmiers, infirmières, techniciens à la porte du service de radiologie, il dit:

— Allons toujours nous changer. Quand le patient nous arrivera, nous serons prêts.

Et s'adressant aux brancardiers, il leur demanda de lui amener Séguin aussitôt que le détective le laisserait sortir.

— Et moi! Et moi? s'exclama l'aumônier, prévenu à la toute dernière minute.

— Faites vite, curé! lui dit le patron.

— Ce n'est pas moi qui le tuerai, soyez-en certain! lui répondit l'aumônier.

Quand le docteur McKibbin arriva au bloc opératoire, l'horloge indiquait quatre heures et demie. Il y avait donc plus d'une heure et demie que l'homme avait été blessé, puisque le vol avait eu lieu à la fermeture de la banque – trois heures.

Après l'activité de la journée, les chirurgiens étaient partis, les infirmières aussi. Personne! Que le personnel d'urgence. Les salles vides, les couloirs déserts n'étaient que plus impressionnants.

Le patron alla au petit bureau où il savait trouver la religieuse du département, lui posa quelques questions et s'entendit répondre que tout serait prêt dans un instant. L'anesthésiste était arrivé. Les infirmières s'affairaient déjà dans la salle à préparer leurs tables d'instruments, les champs opératoires, les bassins d'eau stérile, etc. Le docteur Gervais était déjà là. Le sang monterait du laboratoire dans un moment. On n'attendait plus que le patient.

On alla donc se changer de vêtements et on passa dans la petite pièce pompeusement appelée «le salon des chirurgiens», un réduit où s'alignaient quelques sièges de chrome et similicuir, une table où s'entassaient tasses et pots de café instantané près d'un chauffe-eau. Au mur, un chromo qu'on évitait de regarder et pour mettre une note élégante à ce décor, une énorme poubelle où les chirurgiens avaient jeté toute la journée coupes de papier, pelures de bananes, restes de sandwiches, paquets vides de cigarettes, journaux, etc. Sur la poubelle, pas même de couvercle.

Bientôt, de cette pièce où les chirurgiens attendaient leur tour de travailler, on entendit les portes du bloc opératoire s'ouvrir et les brancardiers rouler une civière vers la salle qu'on préparait. Près de la civière, soeur Rose-du-Calvaire tenant la main du patient.

— Ayez confiance, monsieur Séguin, lui dit-elle en le quittant. Je m'en vais tout droit à la chapelle prier pour vous. Tout ira bien. Vous vous en sortirez.

— Ma soeur, je sais que le bon Dieu ne peut pas vous refuser ça, si vous le demandez. Merci.

Et la civière passa.

— Qu'est-ce qu'on va trouver là? demanda le docteur McKibbin, comme s'il avait réfléchi tout haut.

— Certainement pas la gloire, répondit le docteur Gervais en se levant pour aller se préparer un café.

Des années d'expérience n'avaient pas changé le comportement du docteur McKibbin lorsqu'il se préparait à une opération de ce genre. Il y a tellement d'impondérables.

Les acteurs avant leur entrée en scène, les politiciens aussi au moment de se lever pour un discours, un peintre devant une toile vierge, presque tous ceux qui doivent poser un geste important connaissent cette appréhension, et lui, plus qu'un autre.

Par l'intercom, la voix de soeur Agathe annonça:

— Docteur McKibbin, c'est prêt! Vous pouvez aller vous brosser.

Duquette bondit sur ses pieds, tandis que le chirurgien se leva en donnant l'impression de ne pas se presser. Le docteur Gervais laissa là son café. Ils ajustèrent leur masque et sortirent.

— Voulez-vous les radios dans la salle? demanda soeur Agathe.

— Oui, s'il vous plaît, toutes, répondit le patron en commençant à se brosser.

Il ne dit plus un mot et les autres respectèrent son silence, sachant qu'il réfléchissait à la voie d'accès et aux problèmes qui se présenteraient, problèmes devant lesquels il ne voulait pas être pris au dépourvu. Le brossage terminé, il passa dans la salle d'opération, salua l'infirmière de service interne, garde Desjardins, puis l'autre, chargée du service externe. Il paraissait satisfait de les voir là. Elles étaient toutes deux compétentes, très compétentes.

— J'ai fait brancher l'aspirateur, lui dit Desjardins en lui tendant une serviette stérile pour assécher ses mains. J'ai les catguts, les soies, ce que vous utilisez d'habitude. Pour le reste, garde Bélanger vous le donnera à mesure que vous en aurez besoin.

L'infirmière du service externe attacha les cordons des blouses dans le dos des chirurgiens. Desjardins tendit les gants, attacha les cordons de côté. La peau largement badigeonnée à plusieurs reprises, on posa les champs, on les fixa et l'anesthésiste annonça:

— Vous pouvez y aller.

Alors, le patron tendit la main vers l'infirmière qui lui fit claquer le manche du bistouri dans la paume. Pas un moment, il n'avait pensé à demander autrement l'instrument et pas un moment l'infirmière n'avait pensé à lui en passer un autre.

— Nous allons inciser largement. Qu'en penses-tu, Maurice?

Maurice ne pouvait qu'être d'accord et l'opération commença. Duquette savait bien que son rôle se réduirait à tenir les écarteurs, mais il était de taille à le faire et quand on est aux premières loges, une opération est toujours intéressante.

Dès l'ouverture du péritoine, on dut utiliser l'aspirateur; le ventre était plein de sang et de matières fécales.

— Quel gâchis! dit le patron. On n'est pas sorti d'ici. Vous avez les transfusions, en haut?

En haut, c'était l'anesthésiste Levac et son technicien.

— C'est là, répondit Levac.

— Comment est-il?

— Pas brillant, mais... ça va encore.

On posa un écarteur orthostatique et un autre, on aspira, on épongea. La balle avait épargné l'aorte, le foie, la veine cave et les reins, mais touché les intestins et quelque part, dans le fond du petit bassin, elle avait blessé une artère qui giclait sans qu'on sût exactement laquelle, ni où, et qu'on ne pouvait pas clamper.

— Donnez une compresse abdominale sèche, demanda le patron. Nous allons la fourrer là et faire compression en attendant. Nous y reviendrons plus tard.

Plus tard, cela signifiait après avoir passé l'intestin en revue et suturé où il le fallait. Là seulement, on pourrait travailler en milieu moins septique.

Dès la compresse en place, le sang cessa de refluer aussi abondamment et on en profita pour dérouler l'intestin. Pendant cet examen, on trouva la balle. Le docteur McKibbin la passa aux Maurice, Duquette et Gervais, et poursuivit le travail – travail sans difficultés particulières. Aussi n'y avait-il pas grand bruit ni grande agitation dans la salle. Que la voix du chirurgien qui demandait une soie ou un catgut plus ou moins gros, monté sur une aiguille plus ou moins courte ou courbée, ordonnait de couper plus ou moins court, d'éponger, d'aspirer, de centrer les jets des lumières, un travail de routine, mais qui devait être fait et bien fait. Dans le coin de la salle, l'infirmière du service externe en profitait pour remplir les formules, ranger les compresses souillées sur des crochets à cet usage. On ne réclamait pas grand-chose d'elle et elle s'apprêtait à rêvasser lorsque la voix de l'anesthésiste figea tout le monde.

— Attendez! Il est en arythmie. Ça ne va pas.

Il y avait déjà une heure qu'on travaillait. Les yeux se braquèrent sur le tracé de l'électrocardiogramme, un tracé en folie. Il fallait attendre qu'il se replaçât.

On attendit donc et il se régularisa. Il avait fallu du temps mais on put enfin continuer l'opération.

L'horloge avait indiqué six heures depuis longtemps, quand de nouveau l'anesthésiste ordonna de tout suspendre. Le coeur! encore le coeur! mais cette fois, il s'était arrêté!

Puisqu'on avait déjà les deux mains dans le ventre, le massage cardiaque était possible; on pratiqua aussi la compression rythmée du thorax; on tint l'oxygène prêt pour le moment où le patient recommencerait à respirer, si toutefois il recommençait. Il ne se laissait pas convaincre.

— Mais laissez donc mourir ce bandit! s'exclama soeur Agathe, entrée en trombe dans la salle. Ça fait déjà plus de trois heures que vous vous acharnez sur lui. Vous êtes plus morts que lui, tout le monde.

Comme si le patient avait entendu la sortie de la religieuse, le coeur battit faiblement une première fois; puis après un temps, une seconde fois; puis une troisième fois plus rapprochée; le coeur battait! Le coeur battait de plus en plus fréquemment; puis, régulièrement! L'alerte était passée.

Pour combien de temps? Personne ne le savait, mais on pouvait poursuivre l'opération.

Soeur Agathe n'avait plus dit mot. Son mouvement d'humeur passé, elle se reprochait d'avoir laissé savoir ce qu'elle pensait.

— Garde Bélanger, dit-elle au moment ou garde Desjardins allait remettre des champs stériles et «remonter sa table» comme elles disent dans leur argot professionnel, garde Bélanger, allez vous brosser! Moi, je prendrai votre place, pendant que garde Desjardins se reposera un peu. C'est pas humain! bougonna-t-elle en se rendant tout de même le plus utile possible.

Garde Desjardins ne se fit pas prier pour céder sa place. Elle était exténuée. Quand à Bélanger, tout plutôt que le service externe qui la «barbait»!

Chirurgiens et internes avaient droit à un temps d'arrêt, à «un café», comme c'est l'habitude – ou même deux – car après un arrêt cardiaque, il faut un petit moment avant que tout soit prêt de nouveau: pendant ce petit moment, il faut compter toutes les compresses, grandes et petites, tampons, gros et petits, pinces de toutes espèces, etc., et tout sortir de la salle avant de recommencer avec de nouveaux champs opératoires, de nouveaux instruments, de nouvelles compresses dont il faut aussi faire le décompte. Tout ceci entrecoupé par les appels aux brancardiers qui doivent replacer le patient, emporter les bassins souillés, en rapporter des propres, enfin cent détails auxquels on ne voit pas en un moment.

Donc, le patron et les Maurice avaient le temps d'aller prendre un café.

«Prendre un café», c'est enlever son masque, s'excuser un moment s'il le faut, téléphoner à la maison pour prévenir qu'on sera en retard ou au garagiste pour lui demander si la voiture est prête et le prévenir qu'il sera tard avant que...

C'est aussi appeler sa petite amie pour lui dire que si on ne l'a pas appelée depuis une heure, c'est qu'on était pris en chirurgie. Pour un interne, c'est le point le plus important. À moins qu'il ne soit déjà marié et alors pendant le café, il s'affale pour étudier ses problèmes matrimoniaux.

Duquette n'était pas marié et pas affalé, mais fatigué tout de même. Il accepta avec grande joie la cigarette que lui offrit son patron. Une cigarette! Qu'y a-t-il de meilleur au monde? Non, non! de meilleur!

Il s'entendit appeler au micro mais ne bougea pas. On ne dérange pas un homme qui fume sa première cigarette depuis bientôt quatre heures et qui a vécu ce qu'il venait de traverser. C'est vrai qu'il était de service, mais il avait un remplaçant et tout l'hôpital en avait été averti. Enfin, il devait retourner incessamment dans la salle d'opération. Que le diable emporte les appels! Il ne bougea pas. Il ne bougea pas jusqu'au moment où le téléphone sonna dans le «salon» où ils se reposaient. Comme il était le plus jeune, il se leva pour répondre mais en maudissant les téléphonistes qui dérangent tout le monde, n'importe quand, dans toutes les circonstances.

— Allo! Duquette à l'appareil.

— Docteur Duquette, c'est vous! Enfin! Il y a pour vous au bout du fil, quelque part en ville, une beauté blonde qui veut vous parler. À tout prix!

Duquette était en bons, excellents termes avec les standardistes et elles n'avaient d'oreilles que pour lui. Ils se taquinaient tout le temps.

— Ce doit être Hélène, dit-il, passez-la moi.

— Je peux écouter ce que vous allez lui dire?

— Non! une autre fois.

Au bout du fil, c'était une voix qu'il ne connaissait pas, mais qui donnait tout de suite envie de la connaître, une voix de femme comme de raison.

Elle ne s'identifia pas, puisqu'ils ne se connaissaient pas. Elle se contenta de dire que son prénom était Marie, qu'elle était l'amie de Séguin et qu'elle voulait avoir des nouvelles.

— Ne quittez pas, madame! Je vous passe le patron tout de suite, il est à côté de moi. Il vous renseignera mieux que moi.

— Oh non! non! ne le dérangez surtout pas! Je n'oserais jamais lui parler.

Et elle raccrocha.

— C'est la petite amie du patient, expliqua Duquette à son patron. Elle voulait des nouvelles.

— Tu aurais pu lui en donner, pourquoi pas?

— Elle a raccroché.

Les cigarettes étaient à peine éteintes et les cafés terminés que soeur Agathe, dans la porte, annonçait aux chirurgiens qu'ils pouvaient retourner dans la salle - nouvelle séance de brossage, nouveau rituel des blouses, des cordons, des gants et des champs, et on reprit l'intervention où on l'avait interrompue. De ce côté-là, peu de changement. Le sang passait toujours à travers la grande compresse déjà largement imbibée.

— Si on la changeait, suggéra le docteur Gervais.

— Pourquoi pas? dit McKibbin. Peut-être qu'on pourrait mieux voir maintenant.

On retira donc la compresse lourde, rouge de sang chaud. Une autre compresse remplaça l'ancienne et on termina la réparation de l'intestin.

Alors, on retourna au petit bassin. Cherche, clampe, tamponne, aspire, tamponne! toujours sans résultat. Et l'heure passait. Les heures passaient. Pourtant les patiences ne s'émoussaient toujours pas. La patience d'un chirurgien!

Clampe, aspire, tamponne, regarde.

Regarde! Qu'est-ce qu'on peut voir quand le sang recouvre tout, qu'on n'arrive pas à l'arrêter? Et cela durait. Il n'y avait peut-être pas d'éclat de voix, mais la tension montait, montait, jusqu'au moment où le patron demanda une pince «cystique» et à l'aveuglette clampa. Le sang cessa de refluer, on aspira ce qui en restait, on épongea. Rien. C'était sec. Ne restait qu'à ligaturer le vaisseau et à «fermer boutique» c'est-à-dire laver, refaire les plans, refermer la paroi et à-Dieu-vat!

— Maurice, tu peux m'attacher ça dans le fond?

Derrière son masque, Gervais eut l'air sceptique.

— Je peux toujours essayer, dit-il, mais je ne promets rien.

— Vas-y et dis-moi quand!

«Quand», cela signifiait: ouvre la pince! mon noeud est bon.

Maurice ne put pas demander d'ouvrir la pince. Il n'était pas assez sûr de son noeud.

— Bon, je vais m'essayer, moi! décida le patron.

Garde Bélanger lui présenta un nouveau catgut, un long, et après un moment, il dit:

— Ouvre!

Le docteur Gervais ouvrit et le flot de sang submergea tout. Il n'y a pas de quoi s'impatienter ou ne pas recommencer.

— Comment ça va, en haut? demanda le patron.

— Il était mieux à quatre heures, répondit Levac, pince-sans-rire. Mais il tient, grâce à tes soins.

McKibbin n'entendait pas à rire. Oh non! Après cinq heures, il en avait ras le bol et se demandait si soeur Agathe n'était pas la femme la plus avisée de l'hôpital. Il ne pouvait pas le lui dire. Elle était sortie de la salle dès que garde Desjardins y était revenue après une bouchée et un café. L'heure du dîner était passée depuis longtemps, et Bélanger tenait encore bon gré mal gré.

— Je me brosse et prends ta place, lui dit garde Desjardins.

L'autre n'eut pas le courage de refuser. C'était à son tour d'être épuisée. Au fond, le sexe fort n'en menait pas beaucoup plus large. À deux reprises depuis le début de l'opération, le vaisseau qui empoisonnait avait été clampé mais n'avait pu être ligaturé.

— Si vous ne vous arrêtez pas bientôt, dit Levac d'en haut, et toujours relaxé, nous n'aurons plus de patient.

C'était la voix de la sagesse. Comme on venait à peine de rater, une autre fois, la ligature de la fameuse artère, encore une fois on aspira, on épongea, on clampa – à l'aveuglette – le sang s'arrêta et le patron décida:

— On ferme.

Duquette le regarda, ahuri.

— Nous laisserons la pince là, pendant deux jours, et dans deux jours nous l'enlèverons sans problèmes.

Le docteur Gervais ayant convenu que c'était vraiment ce qu'il fallait faire, on referma. On referma, mais pas complètement, puisque, à travers la paroi de l'abdomen, passait la poignée de la pince, une poignée dorée ou d'allure dorée qui jetait un drôle de pronostic sur l'évolution du patient. Bien sûr, il y eut un drainage, des pansements, des ordonnances de toutes sortes et Séguin fut conduit de la chirurgie vers sa chambre où l'attendait un policier – car un service de police devait le garder jour et nuit. Comme s'il avait pu s'enfuir dans un état pareil...

Le patron, le docteur Gervais et Duquette se retrouvèrent au «salon», assommés de fatigue.

— Quelle heure est-il? demanda le patron.

Personne ne le savait.

Il était neuf heures passées. Après le rituel cigarette et café, le patron décida:

— Il est trop tard pour demander à nos femmes de mettre la table ou de réchauffer le dîner. Mangeons ici!

C'était la logique même. Après quelques appels au bureau, au T.A.S. ou ailleurs, ils descendirent à la cafétéria. Ce n'était pas très invitant.

De grandes tables sans nappes, un éclairage cru, mais un grand comptoir rempli de soupes, de salades, de viandes et de desserts. De plus, l'accueil y était chaleureux. Chacun était au courant de la tentative de vol, chacun voulait avoir des renseignements de première main.

— Et alors?...

— Et alors...

Ils n'eurent même pas à payer, tant on voulait savoir.

Il aurait été dommage que «les vieux» aient payé, ils n'avaient plus faim. Ils grignotèrent, qui un morceau de fromage, qui une tarte aux pommes. Mais Duquette s'abattit sur un potage et allait faire un sort à une tranche de rosbif quand il s'entendit appeler au micro.

— La garde continue? lui demanda le patron.

— Pas tout de suite. Je n'ai pas encore prévenu que c'était terminé en chirurgie. Ça peut attendre.

Le téléphone sonna derrière le comptoir, une employée répondit et lança à tue-tête:

— Docteur Duquette, c'est pour vous, un appel de l'extérieur.

Pas plus enthousiaste qu'il ne le fallait, Duquette se rendit au téléphone.

— C'est vous, docteur Duquette? Comment est-il?

— C'est moi! Mais qui parle et de qui parlez-vous?

Il savait déjà très bien, avant même de décrocher à qui il allait s'adresser. La voix était la même qui l'avait appelé au bloc opératoire, quelques heures plus tôt. Une voix qui vous prenait aux couilles.

— Je vous ai appelé, il y a des siècles. Enfin, cela m'a paru des siècles. Je suis l'amie de notre patient monsieur... monsieur Séguin, qui... qui, que vous venez d'opérer pour... vous savez de qui je parle?

— Mon patron est toujours avec moi. C'est-à-dire que je suis toujours avec lui, si vous voulez lui parler. Il vous dira tout ce qu'il sait.

— Non, non, vous, docteur Duquette! Vous! Dites-moi! il est encore vivant?

— Il est encore vivant.

— Donc, l'opération a réussi.

— Si on peut dire...

— Il faut que je vous voie. Ce soir, sans faute. Tout de suite. Je suis trop inquiète!

— Impossible, madame...

— Mademoiselle...

— Impossible, mademoiselle. Je suis toujours de garde jusquà demain.

— Pas demain, ce soir! Il faut que je vous voie!

À demi bandouillant, piqué de curiosité, Duquette était déjà à genoux devant l'appareil téléphonique. Façon de dire...

— Alors, venez à l'urgence et dites qu'on vous a prescrit des calmants ce matin et qu'ils vous surexcitent, qu'on a dû se tromper d'ordonnance.

— Hein?

— C'est comme je vous dis. Salut.

De retour à table, il prit deux ou trois bouchées de viande à laquelle deux cueillerées de moutarde n'ajoutèrent aucun goût, laissa de côté une tasse de café qu'il trouva aussi détestable que l'instantané du bloc opératoire, reçut les instructions du patron concernant les soins post-opératoires à donner à Séguin et, au moment où il se proposait de s'allonger une demi-heure, une pauvre petite demi-heure avant de reprendre sa garde, le type qui s'en était chargé pendant quelques heures lui demanda la grâce de la reprendre. Sa petite amie avortait.

Le rythme de l'hôpital reprenait. La course! Aux soins intensifs, au laboratoire, à l'unité coronarienne, tout le monde avait besoin de lui. Il en avait presque oublié l'urgence quand on l'y appela – une femme qui voulait absolument le voir parce qu'elle devait savoir si elle pouvait aller à la disco après avoir pris du Valium.

C'était elle!

— Je descends, répondit-il d'une chambre de patiente où il appliquait un sérum. Tout de suite.

Avant de sortir, il se regarda tout de même dans la glace, donna un coup de pouce à sa coiffure, ce qu'il n'avait pas fait depuis le matin et descendit.

— C'est cette dame-là, dit l'infirmière en lui indiquant celle qui s'inquiétait du Valium.

Au milieu des drogués qui dormaient sur les banquettes, des grosses pouffiasses venues passer là une soirée distrayante, d'enfants assez en santé pour crier à en faire crouler l'hôpital, il y avait une fille, une fille qui... une fille que... deux petits seins indisciplinés qui tenaient mal dans les limites d'un décolleté pourtant prudent, une jupe juste assez courte pour laisser deviner des cuisses à y perdre les énergies qui lui restaient, une taille à prendre entre deux pouces et deux index, une fille! des yeux! Il se ressaisit à temps pour répondre à ses questions.

Comme il aurait voulu répondre à tout, à tout!

— Nous nous sommes parlé deux fois cet après-midi.

— Oui. J'avais deviné. Mais, comment avez-vous trouvé mon nom? Pourquoi m'appeler, moi, plutôt que le docteur McKibbin ou le directeur médical qui peuvent bien mieux vous renseigner que moi, un pauvre petit interne?

— Pas si petit que ça, répondit-elle en le regardant comme on tombe en arrêt devant un saint homme qui vient de faire un miracle, là, devant vous, un vrai miracle. Oh! Ah oui! C'est que la radio est pleine de votre nom. On ne parle que de vous. Dites-moi! Comment est-il?

— Bah! pas prêt pour les championnats de soccer! Mais il est sorti vivant de la salle d'opération. C'est déjà un tour de force. Il avait vu l'aumônier avant d'y entrer, c'est probablement grâce à lui que...

Elle ne perdit pas contenance.

— Il a tout pour lui. L'aumônier et vous. Vous lui avez sauvé la vie.

— Oh, oh! pas si vite. Le dernier mot n'est pas dit.

— Ce que j'ai de l'admiration pour vous, les médecins, les chirurgiens et surtout les internes!

Elle le regardait droit dans les yeux, mais pas comme les autres le font. Elle le regardait de façon telle qu'il se sentit grandi, plus sûr de lui, plus compétent, meilleur que les docteurs McKibbin et Gervais à la fois. Enfin! Il le deviendrait, il en était sûr.

— Je ne vous retiendrai pas plus longtemps, dit-elle, en abaissant deux incroyables rangées de cils sur des émotions inexprimées, des voiles de pudeur qui donnaient envie de prendre la fille dans ses bras et de l'enlever comme on voit sur les peintures de l'époque romantique. Pourtant, il se contenta de lui tendre une main qu'elle serra chaleureusement, «reconnaissamment» dans les siennes et partit en disant:

— Je vous rappelle demain. Vous ne savez pas à quel point je vous suis reconnaissante pour tout ce que vous avez fait pour mon Séguin!

Comment dormir après une telle déclaration? comment attendre au lendemain? Le hasard voulut qu'il n'eut pas à en chercher les moyens. Il y eut tant de travail toute la nuit, qu'il oublia tout ça et tomba assommé dans le lit de l'interne de garde, aussi longtemps que sa barbe ne l'eût réveillé, car la barbe finit par piquer une fois qu'on a enfin récupéré.

Ouf! Il s'en souviendrait longtemps de celle-là! de la garde...

Revenu péniblement à la réalité, il s'étonna que la belle amie de Séguin ne l'eût importuné par son besoin de nouvelles rassurantes. Importuné?... Il se raisonna. Après tout, si elle l'aimait, ce type-là, bandit ou pas, c'était tout à son honneur. N'est-ce pas?

De toute la journée, rien! Pas une présence, pas un appel téléphonique. L'avait-elle déjà oublié? Était-elle gênée par la publicité? Sa journée terminée, c'est-à-dire, bien après l'heure des visites, il entendit la voix de la standardiste au micro.

— Docteur Duquette, un appel de l'extérieur.

C'était elle.

— Vous m'avez promis que nous nous verrions aujourd'hui. Je vais vous chercher à l'hôpital tout de suite. Vous venez prendre un verre chez moi.

— C'est que...

Pourquoi faire des manières? Il n'avait qu'une envie, celle de la retrouver.

Comme les portes principales de l'hôpital étaient fermées à cette heure-là, il lui donna rendez-vous à celle du personnel, rue Hickson.

— Dans une demi-heure.

Une demi-heure après, une longue voiture blanche décapotée s'arrêta devant lui et il y monta, bien déterminé à poursuivre son ministère – un interne a le droit de rassurer l'amie d'un patient, non? Cette pauvrette qui a le courage de venir, seule, vous chercher en pleine nuit pour entendre parler de son homme par un inconnu...

Chez elle, dans un appartement de la demi-banlieue, un de ces appartements qui vous donnent l'impression que vous êtes à la fine tête d'un arbre de Noël avec vue plongeante sur toutes les lumières en bas. Pas excitant, dites-vous? Quand il est habité par une malheureuse fille dont l'amant vient d'être abattu par un policier qui ne l'a même pas vu? amant qui vient de passer cinq, six heures sur une table d'opération?

Il était très impressionné par tout ce qu'il voyait. D'abord, il y avait eu un premier portier, puis un deuxième, aussi empressés l'un que l'autre à ouvrir les portes à la belle fille qui rentrait. Ils la connaissaient, ça s'entendait. Puis il y avait eu l'ascenseur. Vous direz qu'un ascenseur monte et descend et puis après? Il y a de beaux ascenseurs et celui-ci était beau. Arrivés au penthouse, il avait fallu utiliser trois clefs pour parvenir à en ouvrir la porte. Décidément l'amie de Séguin était bien protégée contre les voleurs dans cette forteresse. Pas une banque ne peut en dire autant. Séguin le savait.

En entrant, elle n'eut pas à faire de lumière; il y en avait déjà et bien joliment distribuée. Elle indiqua un divan couvert de coussins comme pour inviter Duquette à s'y asseoir ou s'y coucher, lança ses souliers d'un coup des pieds en direction d'une chambre et passa tout droit à la cuisine. Il entendit un frigidaire s'ouvrir et se fermer, un bouchon sauter et elle revint avec une bouteille de champagne et deux coupes qu'elle posa sur une table basse devant le divan.

— Ouf! dit-elle, nous en avons rudement besoin.

Elle versa. Ils levèrent leur verre et burent sans un mot. À la santé de qui aurait-elle pu boire, sinon à celle de Séguin, son homme à elle? Quant à Duquette, il est normal qu'un médecin boive à la santé d'un patient.

— Vous l'avez vu aujourd'hui? demanda-t-elle.

— Plusieurs fois, vous l'imaginez bien. C'est étonnant de le voir tenir le coup, comme il le fait.

— Grâce à vous! dit-elle.

Encore une fois, il dut résister à la tentation de se prendre pour un autre.

— Je ne lui ai pas rendu de mauvais services, mais je pense que s'il va si bien, c'est grâce à soeur Rose-du-Calvaire.

— À qui?

— Soeur Rose-du-Calvaire l'a pris sous sa protection. C'est une image pieuse par-ci, un chapelet par-là, une dizaine ici, une petite prière par-là. Elle ne le lâche pas. Le reste de l'hôpital se débrouille comme il peut, mais Séguin, c'est son homme. Elle est étonnante. Elle m'a avoué qu'elle le convertirait.

— Et moi, là-dedans? Qu'est-ce que je vais devenir, si elle le convertit.

— Vous serez l'amie d'un saint.

Elle riait, elle riait. D'énervement? de fatigue? à cause du champagne?

— Vous voulez un cigare, de la mari, de la cocaïne? Le choix, tout. Servez-vous! dit-elle en ouvrant un coffret qui était sur la table et dans lequel il y avait de tout, en effet, y compris pipes et seringues.

Il opta pour la mari. Elle aussi. Après un moment, elle alla ouvrir une autre bouteille et revint au divan avec une grâce de chatte qui va ronronner.

Effectivement, elle se raconta un peu, beaucoup... Elle connaissait Séguin depuis qu'elle faisait du «gogo».

D'après ce qu'elle disait, elle n'était pas mal tournée à l'époque. Duquette n'avait aucun mal à le croire. Elle vivait avec Séguin avant qu'il aille en prison et depuis sa sortie de prison, car il était en sursis depuis quinze jours seulement au moment du vol de banque. Le temps de l'organiser, quoi! Et il fallait que ce fût lui qui écopât. Il n'avait pas de chance. Sa vie en prison était continuellement menacée. Pourquoi? Elle n'en savait rien. Mais il lui avait montré des cicatrices de blessures qui lui avaient été infligées là-bas. Il en avait partout.

— Que je suis fatiguée de voir des cicatrices! dit-elle. Que je voudrais voir un beau corps jeune sans une coupure, sans rien. Vous avez déjà été opéré?

— Non.

— Je veux voir. Montrez-moi un corps sans cicatrice, insista-t-elle en déboutonnant veste et chemise.

Pourquoi aurait-il résisté? On ne cache que ce qui est laid et elle lui donnait la certitude qu'il était le plus bel homme du monde. De plus, certain qu'il n'avait pas de cicatrice, il la laissa lui en donner la preuve.

— Même pas de circoncision! s'étonna-t-elle.

— Même pas.

C'est le genre d'examen qui conduit tout droit à des exercices exténuants. Après avoir repris haleine en flânant un moment au lit, pendant qu'ils se savonnaient mutuellement sous la douche et qu'il se sentait de plus en plus prêt à remettre tout ça, il l'entendit lui dire:

— Je veux le voir. Allons à l'hôpital!
— Cette nuit?
— Maintenant.
Qu'aurait-il pu lui refuser? D'ailleurs, n'était-ce pas légitime qu'elle vît son ami? Le reverrait-elle vivant, demain ou un autre jour?
Ils s'asséchèrent et repartirent. Cette fois, il lui fit garer sa voiture dans le parking derrière l'hôpital. Ils y entrèrent par la porte des employés, où il n'y avait aucun contrôle, et montèrent au troisième par un escalier aussi désert que l'antichambre d'un candidat défait.
Si familiers qu'ils auraient dû lui être, ces couloirs à peine éclairés par des veilleuses espacées au pied des murs, ce silence qui pouvait être troublé à chaque instant, cette suspension momentanée des services aux malades lui donnaient une impression de clandestinité. Aurait-il été sur le point de commettre une effraction qu'il ne se serait pas senti plus coupable. Presque sur la pointe des pieds, il la conduisit dans l'aile sud jusqu'à la chambre de Séguin.
La porte en était ouverte. Une lampe de chevet l'éclairait faiblement. Un policier dormait dans un fauteuil, mais Séguin, lui, avait les yeux grands ouverts. Un tube lui passait par le nez, un autre lui apportait du sérum au poignet gauche. Le spectacle était affreux.
Malgré leurs efforts pour ne pas faire de bruit, il avait entendu leurs pas et regardait du côté du couloir. Il reconnut la silhouette de Marie. Elle avança près de la porte sans entrer et il la salua de sa main libre, leva le pied droit pour indiquer qu'il était enchaîné et le laissa retomber.
Marie s'immobilisa à peine quelques secondes, comme pour lui dire qu'elle ne l'oubliait pas, qu'il

pouvait encore espérer, qu'elle s'occupait de lui. Puis elle porta les doigts à ses lèvres et souffla dessus. Il eut une grimace qui ressemblait à un sourire, lui envoya la main et elle repartit.

Il leur fallait maintenant sortir, c'est-à-dire traverser de nouveau tout l'hôpital, sans être vus. Au moment de s'engager dans le couloir de l'aile centrale, une ombre sur le dallage indiquant qu'on venait à leur rencontre, Duquette poussa Marie dans un placard dont il laissa la porte entrebâillée et attendit parmi les fauteuils roulants et les béquilles que les pas se fussent éloignés – le temps de lui appliquer un baiser si torride qu'il aurait liquéfié une obèse – et... vers la sortie. De là, pas plus de problèmes qu'à l'arrivée. Personne! Du moins, il voulait le croire, car il lui avait semblé qu'une porte avait été entrouverte et vite refermée, comme par quelqu'un qui ne voulait pas être surpris non plus. Drôle d'impression. Il se serait caché d'un autre ou d'une autre qui ne voulait pas être vu ou vue... À moins que ce ne fût son imagination qui travaillât à temps double...

Ils retrouvèrent la voiture et s'y installèrent – Marie au volant; lui, près d'elle.

— Merci, dit-elle. Je me sens plus calme depuis que je l'ai revu. Mais dans quel état! Ce tube dans le nez! Des sérums! La chaîne au pied! Penses-tu vraiment qu'il peut s'en sortir?

— Oui, oui, le patron l'a dit. On va lui enlever la pince demain, malgré que je ne sois pas là.

— Non?

— Il faut que j'aille à l'université. On retourne chez toi?

Elle prétexta la fatigue et il la comprit très bien. D'ailleurs, lui-même se sentait un peu moins fringant. Elle le reconduisit plutôt à la porte du logis qu'il habitait et ils se quittèrent assez contents l'un de l'autre.

— Tu ne seras pas à l'hôpital demain soir non plus? demanda-t-elle.

Croyant qu'elle avait l'intention de l'appeler dans la soirée ou de revenir voir Séguin, il lui expliqua qu'il avait toute la journée de congé et que ce serait plutôt pour le surlendemain.

— Tu me laisses ton numéro de téléphone?

— Vaut mieux pas.

Le surlendemain, quand il revint, il trouva l'hôpital sur un pied de guerre. Littéralement. Il y avait la police à la porte – police qui demandait des pièces d'identité, s'il vous plaît. Des pièces d'...! Il n'en revenait pas. Elle était partout, au dispensaire, dans les couloirs, aux endroits les plus inattendus.

Il ne fut pas long à tout apprendre de ce qui s'était passé la veille. Un rómancier en mal d'inspiration n'aurait pas pu imaginer pareille histoire.

La veille, donc, au moment où l'hôpital s'était endormi – si tant est qu'un hôpital peut dormir – trois hommes étaient apparus dans la porte de Séguin. Le policier y dormant comme d'habitude à poings fermés, les gars n'eurent pas grand mal à le désarmer, puisqu'il avait lui-même posé son revolver sur la table de chevet du patient.

Quand il s'éveilla, brutalement tiré d'un sommeil grassement payé, il était bâillonné et menotté devant les trois gars qui ne s'occupaient déjà plus de lui, puisqu'il ne pouvait plus rien, ni crier, ni bouger, rien.

Ils s'occupaient plutôt du patient qu'ils avaient libéré de la chaîne le retenant par la cheville au pied du lit. Ils avaient roulé un fauteuil dans la chambre et s'apprêtaient à l'emmener, mais Séguin n'en voulait rien entendre.

— Ils n'ont pas encore ôté la pince, essayait-il de leur faire comprendre.

À bout d'arguments, il arracha son pansement et la leur montra qui lui sortait encore du ventre. Un direct au plexus ne les aurait pas mieux mis hors de combat. Ne leur restait qu'à reprendre le chemin de la sortie et vite! car le ton de leur conversation avait réveillé tout le monde, et le personnel, malade de peur, avait appelé la police. Les trois comparses n'avaient donc plus qu'à déguerpir, et ils le firent en disant:

— On reviendra, Séguin. T'inquiète pas, on te sortira d'ici. Et toi, le chien, en attendant, prends ça!

Pour eux, «le chien», c'était le policier bâillonné et ligoté sur son fauteuil.

Et «prends ça!», c'était lui servir trois ou quatre taloches qui claquaient comme des coups de revolver et qu'ils lui appliquaient de tout coeur à tour de rôle avant de partir.

Ils se seraient volatilisés qu'ils n'auraient pas disparu plus vite. Comment? Par où? Mystère. Par la sortie des employés, au risque de se trouver nez à nez avec la police? Par le toit de la chaufferie? Les religieuses n'osaient appuyer cette hypothèse qu'avec des frissons de terreur ou de délices. C'était selon. Car ce toit, qui leur servait de terrasse pour prendre le frais, jouxtait leur dortoir! C'est dire qu'on n'est jamais vraiment à l'abri du pire ou du meilleur. Les visiteurs nocturnes partis, on avait rangé le fauteuil roulant dans le placard d'où ils l'avaient sorti, refait le pansement du patient sous le regard soupçonneux du policier qui ne le quittait plus des yeux et n'en avait jamais demandé autant, replacé les tubes et les sérums et la nuit avait repris son cours.

La première chose que fit Duquette après avoir entendu le détail de cette affaire rocambolesque, fut de penser à Marie. Si seulement il avait eu son numéro de téléphone, il l'aurait appelée, car il avait le sentiment qu'elle était au courant de tout le détail de cette affaire. Et, à la réflexion, il se disait que lui-même n'était peut-être pas étranger à son déroulement. Quel niais il avait été! De là aux regrets, pas question.

Quant à soeur Rose-du-Calvaire, elle restait rouge d'indignation. On avait tenté de lui enlever son converti! Les comparses avaient failli la violer! Peut-être pas, mais enfin! A-t-on idée?

Quand elle rencontra Duquette «comme par hasard» dans un bout de couloir où il n'y avait personne, elle lui demanda à brûle-pourpoint:

— Cette femme que vous avez amenée voir monsieur Séguin, il y a deux jours, la nuit, c'est une parente?

Duquette faillit se trouver mal, mais il se ressaisit assez vite pour répondre sans bégayer:

— Sa cousine. Ils ont un esprit de famille extraordinaire chez les Séguin.

— Oh, je sais. C'est une famille exceptionnelle. Et lui, vraiment un sujet d'élite. Si seulement je réussis à le sortir du milieu dans lequel il est tombé, j'en ferai un homme de coeur.

Une chose était certaine, c'est que le converti chambardait toute la routine de la maison. Pour combien de temps? Personne ne le savait. On ne pouvait tout de même pas le retourner à la prison avec une pince fichée dans le ventre. Il était question de la lui retirer le lendemain. Mais après la nuit qu'il avait passée il n'était pas prudent de le remonter en chirurgie et de lui faire subir une autre anesthésie – si légère fût-elle. Car, après tout, il ne s'agissait que d'ouvrir lentement les mors de la pince et de la tirer. Si elle venait, ce n'était l'affaire que d'un moment. Sinon... on pouvait tout craindre.

Interrogé sur la date et l'heure de l'intervention, le docteur McKibbin restait vague, comme si le docteur se fût méfié de son interne. D'ailleurs, partout dans l'hôpital, il y avait un air de mystère et de suspicion. Des conversations s'amorçaient ici et là, au coin d'un couloir ou ailleurs, et s'interrompaient brusquement à l'arrivée d'un intrus. Quelque chose d'anormal se passait. Craignait-on à ce point le retour des comparses? Ou était-ce la crainte d'un nouvel échec à l'extraction de la fameuse pince?

Pendant ces jours-là, plusieurs fois, trop souvent, Duquette et tout l'hôpital entendaient qu'on réclamait soeur Rose-du-Calvaire quelque part ou au téléphone. Ce qui était bizarre, c'est que, jusque-là, jamais on n'avait entendu son nom au micro. Elle faisait son office le plus anonymement possible depuis des années. Elle avait été partout, mais pas au micro. Curieux! Que se passait-il encore? Qui appelait? Comment le savoir?

Quoi qu'il en fût, Séguin restait enchaîné et le policier de faction éveillé, pendant que la grosse Rose-du-Calvaire jubilait puisque les circonstances lui donnaient plus de temps pour consolider la conversion de son homme.

Elle était touchante d'attentions; lui, étonnant de bonne volonté. Il gardait autour du cou le chapelet qu'elle lui avait donné, récitait avec elle la dizaine qu'elle venait à la dérobée dire avec lui. Il n'avait que des mots polis pour ses gardiens. Quel charme il avait tout de même ce mécréant! cet ancien mécréant!

Entre lui et Duquette, pas un mot de ce qui s'était passé le lendemain de son arrivée à l'hôpital aussi bien qu'à l'appartement, car Duquette avait l'impression qu'il avait tout deviné mais Séguin n'y fit jamais allusion. Rien! mais c'était troublant, inquiétant. De ce monde-là, à quelle réaction s'attendre? Il n'avait pas la conscience tranquille et ne l'était pas. Quelle affaire!

Il eut même un jour l'impression d'apercevoir Marie dans un couloir, mais pas celui du troisième sud. Que faisait-elle là? ou s'était-il mépris? À tout événement, il était convaincu que cette fille l'avait berné et il n'était pas plus fier de lui pour tout ça. Elle ne l'avait pas rappelé. Il avait pourtant été au maximum de sa forme, ce soir-là, lui semblait-il, et c'est ça qui le confirmait dans la certitude qu'elle s'était servie de lui.

Quand, enfin, on remonta Séguin en chirurgie, soeur Rose accompagna sa civière jusqu'aux portes du bloc opératoire et lui promit de nouveau de prier pour lui. Pour toute cette attention, il la paya d'un sourire d'une telle douceur qu'il lui donna la certitude d'avoir obtenu la plus gratifiante conversion de son apostolat. Douceur décevante aussi pour les autres, car on aime qu'un dur reste dur. On s'interrogeait donc. Séguin jouait-il un jeu ou la grâce l'avait-elle vraiment touché?

On roula donc sa civière dans la salle d'opération. On l'endormit – oh! à peine – la pince sortit sans aucun problème. Le sang ne vint pas. L'hémostase était bel et bien faite. Duquette le vit de ses yeux. Il était là. On ramena le patient vers la salle de réveil. Ne lui restait plus qu'à guérir. Une affaire de quelques jours à peine, le temps pour soeur Rose de terminer la conversion qu'elle avait si bien menée jusque-là.

Après une cigarette au «salon» des chirurgiens, le docteur McKibbin demanda à son interne s'il avait quelque chose de particulier à faire ce matin-là.

— Non, rien, répondit Duquette, s'interrogeant un peu tout de même sur la raison qui motivait cette question.

— C'est que Séguin retourne à la prison dès qu'il sortira de la salle de réveil et je me demandais si tu ne le reconduirais pas à Bordeaux dans l'ambulance. Je suis certain que rien de fâcheux ne se passera, mais il vient d'être endormi, opéré, si on peut appeler ça une opération et ça une anesthésie. Je pense que ce serait quand même plus prudent. Et là-bas tu pourrais expliquer au médecin de l'infirmerie ce qui a été fait, le genre de pansements qu'il faut et tout et tout. Tu connais bien le cas. Tu es l'homme tout trouvé pour accompagner Séguin.

Il y a des choses plus compliquées à faire que de se tenir près d'un patient qui va bien et qu'on emmène en ambulance. Duquette trouva la mission intéressante. Le patient, la police, la prison, le milieu des détenus!... il accepta de bonne grâce.

— Quand on t'appellera au micro tout à l'heure, rends-toi à la salle de réveil. La police vous escortera à Bordeaux et tu reviendras avec eux. Ne dis rien de tout ceci à personne. Personne ne doit être au courant de son départ. C'est ce que la police nous a demandé de faire, pour la protection de Séguin et la nôtre.

Comme ils passaient devant la salle de réveil pour aller faire la visite des patients dans le reste de l'hôpital, Duquette aperçu soeur Rose-du-Calvaire près du lit de Séguin. Elle le quittait.

Comment avait-elle été mise au courant du résultat de son opération? Ah! celle-là!

Avant même la fin de la visite des patients avec le patron, Duquette entendit son nom au micro et comprit.

— Appelle-moi au bureau en revenant! lui demanda le docteur McKibbin. Je suis curieux de savoir comment ça se sera passé et comment tu auras trouvé l'installation de l'infirmerie, là-bas.

Au bloc opératoire, Duquette fut étonné de voir des policiers armés comme pour le coup de feu de chaque côté de la porte. Il ne se posa pas de question, pas plus que les brancardiers d'ailleurs, quand on leur dit de conduire le patient à la porte de l'ambulance plutôt qu'à sa chambre. Tant de précautions pour un homme qui paraissait dans un état d'hébétude ou de béatitude totale, les yeux fermés, les mains jointes sur une boîte petite, carrée, joliment emballée!

À la porte de l'ambulance, sous la marquise, Duquette aperçu deux autres policiers qu'il reconnut aussitôt, Marcel et le sergent, venu s'assurer que son prisonnier quitterait l'hôpital sans incident. Il y avait aussi une espèce de fourgon, genre fourgon de la morgue et... à sa grande surprise, la belle voiture blanche qu'il connaissait et qui partait avec Marie au volant.

— Oh, oh! se demanda-t-il. Comment se fait-il qu'elle ait été mise au courant de ce départ précipité? Était-ce un signe qu'il y aurait de la casse? Instinctivement, il chercha des bandits masqués et armés de mitraillettes, comme au cinéma. Il n'en vit pas. Se trouvaient là, par hasard probablement, quelques curieux qui n'avaient pas l'air malin, tenant, qui un sac à provisions, qui une grande boîte de carton et trois, quatre enfants appuyés sur leur tricycle, tous, les yeux fixés sur la civière qu'on avançait dans un silence oppressant.

Comme les ambulanciers n'étaient pas là, probablement à prendre un café ou fumer une cigarette quelque part, la civière resta devant la porte. Puis ils arrivèrent sans se presser, comme si personne ne les attendait. Ils prirent un temps d'une longueur record pour transporter le patient de la civière d'hôpital à celle de l'ambulance, toujours dans le silence le plus total. Même les badauds semblaient impressionnés par la scène, par sa lenteur, par le spectacle de cet homme à l'allure de béatifié, entouré de brancardiers et de policiers, enchaîné à sa civière comme il l'avait été à son lit. Le silence était presque angoissant.

Tout à coup, le visage décomposé par la terreur, Marcel leva les yeux sur le sergent et lui demanda d'une voix qui ne voulait pas trembler:

— Entendez-vous ce que j'entends, boss?

Sorti de sa contemplation, celui-ci regarda la jeune recrue et tendit l'oreille. Tout le monde tendit l'oreille. De la boîte que tenait Séguin, sortait le bruit d'un mécanisme d'horlogerie - régulier, fort, de plus en plus fort.

— Une bombe! hurla le sergent, une bombe à retardement! Sauvons-nous!

Ce fut une débandade générale. Générale pour tous, sauf pour trois des curieux, qui, voyant les policiers courir se mettre à couvert, empoignèrent la civière, la fourrèrent dans le fourgon et disparurent. Quand les policiers, bien à l'abri, tournèrent la tête, ils ne virent plus que la boîte enrubannée sur le sol et quelques cartouches que les comparses avaient laissées tomber dans leur fuite.

À plat ventre derrière un comptoir où il s'était réfugié, le sergent, téléphone en main, donnait l'alerte au poste de police, le signalement des fuyards et surtout réclamait un artificier.

— Un artificier! cria la grosse soeur Rose-du-Calvaire, accoudée au comptoir et dominant l'officier du haut de son exaspération.

Accourue, soufflante et suante, agitant les bras pour demander aux ambulanciers de ne pas emmener son converti avant de lui avoir dit un dernier «au revoir!», elle s'était trouvée devant une boîte enrubannée et les cartouches – cartouches qu'elle ne remarqua d'ailleurs pas.

— Un artificier! cria-t-elle de nouveau. Mais pourquoi? Où est monsieur Séguin?

— Sauvez-vous, ma soeur! Mettez-vous à l'abri! Une bombe!

Soeur Rose voulut avancer, mais le sergent lui cria:

— Ne touchez pas à cette boîte! Elle peut exploser d'un moment à l'autre. C'est une pièce à conviction. Surtout, n'y touchez pas!

Soeur Rose haussa les épaules, regarda Duquette qui se cachait comme les autres derrière une porte et lui fit signe de la suivre, ce qu'il fit sans se faire prier.

— Docteur Duquette, dit-elle, une fois qu'ils furent un peu plus loin, voulez-vous bien me dire ce qui vient de se passer? Je quitte monsieur Séguin à la salle de réveil et cinq minutes plus tard, j'arrive ici. L'ambulance est là. Tout le monde se cache et je ne trouve plus mon bon Séguin.

Duquette raconta ce qui s'était passé et soeur Rose-du-Calvaire éclata de rire.

— Une bombe? une bombe! mais c'était un vulgaire réveille-matin, un *Big Ben* qu'on m'avait demandé de lui remettre. Un souvenir d'enfance. Quand il était jeune, il s'était acheté ce réveil pour les samedis matins. Un dollar! Il se levait avant le soleil pour aller pêcher au fleuve. Avec les années, le goût de la pêche lui est passé, hélas! mais le réveil est resté. Et la famille a pensé qu'il lui rappellerait des souvenirs en prison et que ça l'aiderait à la supporter et à se conduire de façon exemplaire en vue d'une libération conditionnelle prochaine. Ce qu'ils s'aiment ces gens-là! Et quelle belle âme que ce Séguin!

Le monologue s'était achevé dans un accent de tristesse à fendre le coeur.

Sachant d'expérience qu'un *Big Ben* de cette époque-là est tellement bruyant que, seuls, un sourd ou un enfant exténué de fatigue peuvent dormir avec pareil engin dans leur chambre, Duquette demanda:

— Qui vous a remis le *Big Ben*?

— Mais c'est elle, voyons! Vous la connaissez! Vous l'avez amenée à sa chambre, une nuit... Marie! voyons!

Table des matières

Achevé d'imprimer
en l'an mil neuf cent quatre-vingt-huit
sur les presses des ateliers Lidec inc.,
Montréal, Québec.